ধর্ম যুদ্ধ

ধর্মযুদ্ধ

সঞ্জীব চট্টোপাধ্যায়

দে'জ পাবলিশিং
কলকাতা ৭০০ ০৭৩

DHARMAYUDDHA

A Bengali novel *by* Sanjib Chattopadhyay

Published by Sudhangshu Sekhar Dey, Dey's Publishing

13 Bankim Chatterjee Street, Kolkata 700 073

Phone : 2241-2330/2219-7920 Fax : (033) 2219-2041

e-mail : deys publishing@hotmail.com

₹ 60.00

ISBN 978-81-295-11-68-3

প্রথম প্রকাশ : জানুয়ারি ২০১১, মাঘ ১৪১৭

৬০ টাকা

প্রকাশক : সুধাংশুশেখর দে, দে'জ পাবলিশিং

১৩ বঙ্কিম চ্যাটার্জি স্ট্রিট, কলকাতা ৭০০ ০৭৩

লেজার সেটিং : লোকনাথ লেজারোগ্রাফার

৪৪/১এ বেনিয়াটোলা লেন, কলকাতা ৭০০ ০০৯

মুদ্রক : সুভাষচন্দ্র দে, বিসিডি অফসেট

১৩ বঙ্কিম চ্যাটার্জি স্ট্রিট, কলকাতা ৭০০ ০৭৩

পরম শ্রদ্ধেয়া

স্বর্গতা

বেলা মার

শ্রীচরণে

[তাঁরই অনুপ্রেরণা, তবে শোনা হল না]

বিনীত

সন্তান · সঞ্জীব

লেখকের অন্যান্য বই

পলাতকা ছায়া ফেলে ফেলে
শেষ চুরি
পায়ে পায়ে পথ চলা
প্রতীক্ষা
দেবভূমি কামারপুকুর
মহারাজেন্দ্র বাহাদুর কৃষ্ণচন্দ্র
আবর্তে বিদ্যাসাগর
সুখ দাও ভগবান
অনলপ্রভ বিদ্যাসাগর
গুদোমে গুমখুন
প্রভু জগন্নাথ
মরার পর নামের আগে অটোমেটিক হরি
কাঁধে কম্বল পায়ে চপ্পল
নীল আকাশে লাল ঘুড়ি
ঝড়
দিদি
খেয়াল
নিয়তি
বেশ আছি রসে বশে
যা হয়, তাই হয়
মামা এক মামা দুই মামা তিন চার
আরোহী
কালের কাণ্ডারী
গিরিশচন্দ্রের শ্রীরামকৃষ্ণ
শ্রীরামকৃষ্ণের গিরিশচন্দ্র
শ্রীচরণকমলে
মুখোমুখি শ্রীরামকৃষ্ণ
দাদুর কীর্তি
গাঙচিল
কিচির মিচির
সাপে আর নেউলে
রাত বারোটা
কাটলেট
কিশোর রচনাসম্ভার ১ম, ২য়, ৩য়

হেডস্যারের কাণ্ড
বড়মামার কীর্তি
থ্রি-এক্স
বাঘমারি
সপ্তকাণ্ড
সাত টাকা বারো আনা
হাসি কান্না চুনী পান্না
পুরনো সেই দিনের কথা
গাধা
সুখ ১ম, ২য়, ৩য়
আন্দামান : ভারতের শেষ ভূখণ্ড
বাঙালিবাবু
উৎপাতের ধন চিৎপাতে
হাসির আড়ালে
নির্বাচিত রম্যরচনা সমগ্র
                    ১ম, ২য়, ৩য়, ৪র্থ
১৩টি উপন্যাস (একত্রে)

ধর্মযুদ্ধ

সারকুলার রোড, কলকাতা, ১৮৫৫ সাল।

এখন যেখানে গড়ে উঠেছে মেয়েদের একটি কলেজ কুইন ভিক্টোরিয়ার নামে, অদূরেই অতি ব্যস্ত শেয়ালদা স্টেশান। বৈঠকখানা বাজার, আরো কত কি, তখন জনশূন্য খোলামেলা একটি অঞ্চল। ইংরেজের রাজধানী মোটামুটি বেশ জমে উঠছে। নানারকম এটা-সেটা নিয়ে। বাঙালিরা বেশ বশে এসে গেছে। ইংরেজরা তাদের স্টাডি করে ফেলেছে। দাস তৈরি করার বেশ ভালো 'মেটাল'। তবে বকলশটা যেন রত্নখচিত হয়। বেশ জেল্লা থাকা চাই। নানারকম খেতাব-টেতাব দিয়ে একটা অভিজাত শ্রেণি ইংরেজরা তৈরি করে ফেলেছে। বাঙালিরা ফার্সি ছেড়ে ইংরেজি শিখতে শুরু করেছে। ডিরোজিও খুব অল্প বয়সে কলকাতার বিখ্যাত কলেরায় মারা গেলেও একদল অন্যরকমের যুবগোষ্ঠী তৈরি করে গিয়েছিলেন। যাঁদের বলা যেতে পারে বুদ্ধিজীবী। বিদ্রোহী। আমরা বস্তাপচা হিন্দু সংস্কার মানি না।

মানিকতলার বাজারে সময় সময় ফলুই মাছ বিক্রি হয়। সুন্দর দৃশ্য। বড় কাঠের ডাব্বায় জল। ঝকঝকে রুপোর মতো ভীষণ ছটফটে অশান্ত ফলুই। জল ছেড়ে লাফিয়ে উঠছে তিন চার হাত উঁচুতে। পরক্ষণেই ডাব্বার জলেই পড়ছে। জল ছেড়ে বাইরে চলে যাচ্ছে না। 'ইয়ং বেঙ্গল'ও সেইরকম। হিন্দু ধর্মের ডাব্বাতেই লম্ফ-ঝম্প। দু-একজন খ্রিস্টান হচ্ছেন। পরে পস্তাচ্ছেন।

শহর মানে মানুষ। সমাজ। স্তর। ওপরতলার মানুষ চাষা নয়। ব্যবসায়ী। বণিক। ইংরেজরাও বণিক হয়েই এসেছিল। প্রথম লটে লর্ড, লেডিরা আসেননি। ক্লাইব সায়েব ফাঁকতালে বাংলা জয় করে জাতে উঠলেন। দেশে ফিরে আত্মহত্যা করলেন। বাঙালিদের মনে হল, জাব্বা-জোব্বা পরা মুসলমান নবাবদের চেয়ে সাদা চামড়া অনেক ভাল।

সে মনে হলেও, তিনটে 'কালচার' মিলেমিশে বেশ একটা শরবত তৈরি হল। হিন্দু শরীরে মুসলমানি ঢঙের পোশাক, মানসিকতায় বস্তুবাদী ইংরেজ। মাথায় পাগড়ি-টুপি, পায়ে নাগরা। মালকোঁচা মারা ধুতিতে মারাঠি প্রভাব। শেরোয়ানি ঢঙের নিম্নাঙ্গবাসে মোগল ফর্মা, পর্তুগিজ বাতাস। এ তো কাশী নয় কলকাতা। মূল বাণিজ্যকেন্দ্র। এখানে মানুষের ভাগ্য ফেরে। ধর্ম, অধর্ম, পাপ, পুণ্য, জবা, গোলাপ সবই আছে। কালীর পাশে কৃষ্ণ। গোপালের হাতে সরের নাড়ু।

কলুটোলার দিক থেকে রাস্তাটা পূবে এসে সার্কুলারে মিশে দক্ষিণ মুখে চলে গেছে সায়েব মহল্লার দিকে। পথচারীরা কয়েকদিন ধরেই লক্ষ্য করছেন, এখানে সেখানে দেয়ালে সাঁটা হাতে লেখা পোস্টার। বাংলায় লেখা রয়েছে :

সংসার অসার
দুঃখ আর ক্লেশ
কেন কর সংসার সংসার!

কেউ দেখে, কেউ পড়ে, কেউ থমকে দাঁড়ায়। একদিন, একজন একটি কাগজ দেয়াল থেকে খুলে নিলেন। ভদ্রলোক থাকেন কলুটোলার বিখ্যাত সেন বাড়িতে। বাড়ির লোকজনদের সেই কাগজখানি দেখিয়ে তিনি বলতে লাগলেন, দেখ, দেখ, কোন পাগলের কাজ। কি সব লিখে দেয়ালে দেয়ালে সেঁটে দিয়েছে। পাগলের সংখ্যা বাড়ছে।

যে যুবক প্রতিদিন রাতের অন্ধকারে সংগোপনে এই কাজটি করতেন তিনি এই মন্তব্য শুনে খুব হতাশ হলেন। সাধারণ মানুষকে বৈরাগ্যের পথে নিয়ে যাওয়া সহজ নয়। মায়া আষ্টেপৃষ্ঠে বেঁধে বেধড়ক ঠ্যাঙালেও সুখ অনেক পরে দক্ষিণেশ্বরের পরমহংসের মুখে উটের গল্প শুনবেন। উটের খাদ্য কাঁটাগাছ। কশ বেয়ে রক্ত গড়াবে, তা হক, কাঁটা গাছই তার প্রিয় আহার। যুবক বুঝে গেলেন, এভাবে হবে না। সেই দিন থেকে দেয়ালে দেয়ালে বার্তাবাহী কাগজ লাগানো বন্ধ করে ভাবতে বসলেন, হাল ছাড়লে চলবে না। পথ একটা বের করতেই হবে। সংসার জাঁতায় অবিরত পিষ্ট হচ্ছে মানুষ। এই করুণ বর্তমান থেকে তাকে পরিচালিত করতে হবে উজ্জ্বল ভবিষ্যতের দিকে। বন থেকে তপোবনে। কে এই

যুবক। বদ্ধ মানুষকে মুক্ত করার জন্যে যাঁর এত চিন্তা।

কলুটোলার সেন পরিবার। এক সময় এ রাজ্যে হিন্দু শাসন ছিল। হিন্দুদের রাজা হবার যোগ্যতা ছিল। সেন রাজাদের কথা ইতিহাসে আছে। এই বংশের দুই বিখ্যাত নৃপতি—বল্লাল সেন আর লক্ষ্মণ সেন। এঁদের রাজ্যপাট ছিল পূর্ববঙ্গে। অবশেষে পাঠান আক্রমণ। বখতিয়ার খিলজির উপদ্রব। বাঙালির বরাতে দীর্ঘ শান্তি, চূড়ান্ত সমৃদ্ধি লেখা নেই। কলুটোলার সেনরা বল্লাল সেনের বংশধর। সময়ের মই বেয়ে নামতে নামতে অথবা বল্লাল থেকে ধাপে ধাপে ওপরে উঠতে উঠতে একটি মানুষকে পাওয়া যাবে, যাঁর নাম—গোকুলচন্দ্র সেন। কোথায় নিবাস। ভাগীরথীর কুলে গৌরীভা গ্রামে। চলতি নাম গরিফা। গোকুলচন্দ্রকে মনে রাখার কোনো কারণ থাকত না, যদি না রামকমল তাঁর পুত্র হয়ে জন্মাতেন। আবার রামকমলও কাল টপকে কালান্তরে যেতে পারলেন পৌত্র কেশবচন্দ্রের জন্যে। সময় কেমন সীমানায় বেঁধে ফেলে নিজেকে। এ মাথা আর ও মাথা। এ প্রান্তে বল্লাল, ও প্রান্তে কেশব। দুদিকে দুটি পিলার মাঝে পড়ে আছে সেতু পথ। শয়ে শয়ে বছর যেন প্রস্তর ফলক। কেশবচন্দ্রের পর অপেক্ষা! কে আসেন দেখা যাক।

গোকুলচন্দ্র ছিলেন হুগলির সেরেস্তাদার। প্রথম জীবনে হতদরিদ্র। এইটাই মনে হয় 'যক্ষের জাজমেন্ট'। ঘড়া ঘড়া মোহর, হাতি শাল, টাঁক শাল, তারপর কানাকড়ি। যেমন আকবর শা থেকে বাহাদুর শা। বৈদ্যরা সাধারণত লেখাপড়ার ভক্ত। কবিরাজ, শিক্ষক, অধ্যাপক। মেধাবী, ধার্মিক, ভদ্র। গোকুলচন্দ্রও এর ব্যতিক্রম ছিলেন না। দরিদ্র হলেও অভিজাত। লিখতেন। কাগজ কেনার পয়সা ছিল না, কলাপাতাও জুটত না। কঞ্চির কলম দিয়ে বটপাতায় লিখতেন। ধীরে ধীরে রোজগার বেড়ে হয়েছিল মাসিক পঞ্চাশ টাকা। সন্তান সংখ্যা ছয়। এঁদের মধ্যে মদন, রামকমল আর রামধন পারিবারের পূর্ব গৌরব ফিরিয়ে এনেছিলেন। তবে ইতিহাসের পথে লম্বা লম্বা পা ফেলে এগিয়ে এলেন রামকমল কেশব বৃক্ষটিকে ধারণ ও পালন করার জন্যে। ভূমি-সেচ-সার-বাতাস গৌরব-আভিজাত্য এ সবের বড় প্রয়োজন একটি মানুষের বিকাশের জন্যে। আর চাই সংস্কার যা আসে পূর্বপুরুষদের ধারা পথে। আশ্চর্য এক ধারাপাত। পিথাগোরাস সংখ্যা নিয়ে

কাজ করেছিলেন। জগৎ এক সময়চক্র। অনবরতই ঘুরছে। ঘাটে ঘাটে। এক থেকে নয়। তারপর শূন্য। আবার এক।

রামকমল আর কেশবচন্দ্র। অদ্ভুত এক গাঁটছড়া। দুজনেরই দুজনকে প্রয়োজন। কাল তুমি কে? আমি হাজার হাত কালী। হাত মানে মানুষ। হাতে হাতে, হাতাহাতি, হাতে হাতে মাতামাতি। পায়ে পায়ে প্রগতি। পায়ে পায়ে জড়াজড়ি। রামকমল আর নগর কলকাতার প্রায় একই সময় জন্ম। কলকাতা তো চাই; তা না হলে ধর্ম-অর্থ-কাম আর মোক্ষের সমন্বয় ঘটবে কোথায়? জব চার্নককে ইওরোপ স্মৃতিতে ধরে না রাখলেও কলকাতায় তাঁর চির আসন পাতা। বৈঠকখানার সেই ছায়াঘেরা বটতলাটি খুঁজে পাওয়া যাবে না। চার্নক সেই স্থানটিকেই করে তুলেছিলেন তাঁর কর্মস্থল। ইস্ট ইন্ডিয়া কোম্পানির কলকাতা ঘাঁটি। প্রথমে একটা অ্যাডভেঞ্চার। ইওরোপীয় ভাগ্যান্বেষীদের ভাগ্য অন্বেষণ। সমুদ্রে তখন সাহস বেড়েছে। সাদা ত্বক, নীল চোখ মানুষরা উথাল পাথাল জীবন পছন্দ করে। প্রতি মুহূর্তে মৃত্যুর সঙ্গে মুখ গোঁজাগুঁজি। ওই রক্ত বোঝার ক্ষমতা নরম সরম, পেট রোগা, মা-মাসি ঘেরা বাঙালির নেই। তবে প্রভাবে কি না হয়। অনেকটা সময়। চার্নক, ইস্ট ইন্ডিয়া কোম্পানি, রামকমল সেন, কেশবচন্দ্র অনেকটা সময়। ১৬৭৮-৭৯ চার্নক বৈঠকখানা বাজারের বটতলায় বিশ্রী দেশ, আবহাওয়া, চারপাশে কালো, নিমকালো, খেঁকুরে সব মানুষ। বিদেশি বণিকের কিন্তু বেশ ভাল লেগে গেল। হুগলির মুসলমান, ফৌজদারের সঙ্গে তেমন বনিবনা ছিল না। লোকটার স্বভাবই ছিল পেছনে লাগা। চার্নক দেখলেন এই গাছতলাই ভাল। জলপথ তো খোলাই আছে। তেমন বুঝলে দক্ষিণে পলায়ন। রাজা রামমোহন সময়ের আকাশে এখনো দূরে। গঙ্গার ধারে ধারে সহমরণের চিতা মাঝে মাঝেই জ্বলে ওঠে। চার্নক বুঝতে পারেন না ব্যাপারটা কি হচ্ছে! একই চিতায় মৃত পুরুষ আর জ্যান্ত স্ত্রীলোক। বিকট বাদ্য-বাজনা। সহমরণের চিতা থেকে এক রমণীকে উদ্ধার করে বিবাহ করলেন। সংসার হল।

এল ১৭০০ সাল। ইস্ট ইন্ডিয়া কোম্পানি তিনটি গ্রাম কিনলেন, গোবিন্দপুর, সুতানুটি ও কলকাতা। দুর্গ তৈরি হল। দুর্গের এলাকা ফেয়ারলি প্লেস, কাস্টমস্ হাউস ও কয়লাঘাটা। চাঁদপাল ঘাটের দক্ষিণ

দিককার গোটা অঞ্চলে নিবিড় অরণ্য। বসতিও ছিল—এদিকে, ওদিকে কাঁচা ঘর। কলকাতার সীমা সেই সময়ে চিৎপুর থেকে কুলিবাজার। এই সীমানা ক্রমশ বেড়ে হল সিমলা, মলঙ্গা, মির্জাপুর, হোগলকুড়িয়া, সর্টসবাজার। প্রাচীন হিন্দু পরিবার বলতে—শেঠ আর বসাক।

চুটিয়ে ব্যবসা চলছে। সে খুব সুখের দৃশ্য। গঙ্গা তীরবর্তী অঞ্চলে সকাল, সন্ধে নানা দেশের বণিক ঘোরাঘুরি করছেন ইওরোপীয়, মোগল, আরমানি। বিচিত্র পোশাক, বিভিন্ন ভাষা। ব্যবসায়িক আদান-প্রদানে কোনো অসুবিধে নেই। জাহাজে মাল উঠছে, মাল নামছে, চিপ লেবার, ভ্যারাইটিজ অফ প্রোডাক্টস। শেঠ, বসাকরা ফুলে ফেঁপে উঠছেন। রাতের জীবনে যেসব অনুষঙ্গের প্রয়োজন সে তো থাকবেই। নানা রক্তের মিশ্রণে নতুন প্রজন্মের আগমন। নতুন চরিত্র, উদ্যম, উদ্যোগ, উন্মাদনা। পথের এক ধারে হাঁটে ধর্ম, আর এক ধারে অধর্ম।

ইতিহাস জানাচ্ছে, 'এখানে (এই কলকাতায়) অনেক ধনী ব্যবসায়ী ছিল, টাকাকড়ির লেনদেন যথেষ্ট হত, শ্রমিকও সস্তায় পাওয়া যেত এবং ভারতে একটিও দরিদ্র ইওরোপীয় ছিল না।' ইস্ট ইন্ডিয়া কোম্পানি অন্য অনেক দেশে শাখা-প্রশাখা বিস্তার করলেও ভারতই একমাত্র দেশ যেখানে তারা সবচেয়ে বেশি সাফল্য লাভ করেছিল। অবশেষে রাজা। বণিকের মানদণ্ড হল রাজদণ্ড। বাংলাদেশ আর বাঙালির পক্ষে ব্যাপারটা মন্দ হল না। আমদানি রপ্তানির মূল কেন্দ্র, জাহাজ তৈরির ডক, মূল আদালত, সরকারি, বেসরকারি নানা অফিস, হৌস, চেম্বার অফ কমার্স—সর্বত্র বাঙালি। মুসলমান আমলে ফারসি জানলেই সেরেস্তা, ব্রিটিশ আমলে ভাঙা ভাঙা ইংরেজি, আর সঙ্গে ছুঁচলো বুদ্ধি। শহরের অধিকাংশ খুচরো ব্যবসা চালাতেন বাঙালি বেনিয়ান, সরকার আর লিপিকারেরা। ধনী বাঙালিরা ইওরোপীয় সমাজে বেশ খাতির পেতে লাগলেন। বাঙালিদের মধ্যে তৈরি হল অভিজাত শ্রেণি। শিক্ষার প্রসার তখন হয়নি। রামদুলাল দে উল্লেখযোগ্য উদাহরণ। বাংলা, ইংরেজি মিশিয়ে সায়েবদের ব্যবসাপত্র বোঝাবার ক্ষমতা, হিসাবপত্র রাখার কৌশল আয়ত্ত করে ভাগ্য খুলে গেল। অন্য বাঙালিরাও সেই কায়দা ধরলেন। কেউ আরমানি জাহাজের জাহাজ সরকার। কেউ বেনিয়ান।

কলকাতার আকাশে ভাগ্য উড়ছে। অনেক বিশিষ্ট বাঙালি পরিবার ভাগ্য ফেরাতে কলকাতায় চলে এল। ঠাকুর পরিবারের জয়রাম ফোর্ট উইলিয়াম তৈরির সময় থেকেই কলকাতাবাসী ক্লাইভের কর্মচারী নবকৃষ্ণ কলকাতায়। নকুড় ধর কোম্পানিকে টাকা ধার দিতেন। কলকাতার প্রাচীন বাসিন্দা। এঁরই বংশের দুই সন্তান—রাজা বৈদ্যনাথ আর রাজা নৃসিংহ। রপ্তানি আড়তের দেওয়ান মদনমোহন দত্ত নবকৃষ্ণের সমসাময়িক। রামদুলালের মা ছিলেন এই বাড়ির রাঁধুনী। আর মদনমোহনের ছেলেদের গৃহশিক্ষকের কাছে রামদুলালও পড়তেন।

এইরকম একটা সময়ে রামকমলের আবির্ভাব। পিতা হুগলী আদালতে সেরেস্তাদার। মাসিক মাহিনা পঞ্চাশ টাকা। বৈদ্য পরিবারের ধারা অনুসারে শিরোমণি বৈদ্যের কাছে রামকমলের সংস্কৃত শিক্ষা শুরু হল। রামকমল উৎসাহী ছাত্র। বেশি কিছু জানতে চাইলে শিরোমণি যা-তা বলে ছাত্রকে দমিয়ে দিতেন। রামকমল শিক্ষকমশাইকে সুন্দর একটি কথা বলেছিলেন—'মানুষের ক্ষুধা অনুযায়ী খাওয়া উচিত।' রামকমল এসেছিলেন, 'যুগলক্ষণ' যুক্ত হয়ে। শুধু অর্থ-বিত্তে প্রকৃত মানুষ তৈরি হয় না। চাই জ্ঞান, চাই বীক্ষণ, প্রেক্ষণ। রামকমল অনুভব করেছিলেন, মানুষের জীবন বৃহৎকে ধরার বজ্র দণ্ডের মতো অ্যান্টেনা। মানুষ হল ভগবানের রেডিও।

শিক্ষক শিরোমণি বৈদ্য রামকমলকে হতাশ করলেন। ব্যাকরণের কটা সূত্র আর শ্লোকে নতুন বিশ্বকে জানা যাবে না। দুনিয়া হঠাৎ বড় হতে শুরু করেছে। সমুদ্রপথ খুলে গেছে। বহির্বিশ্বের খবর আসছে। নানা দেশের মানুষ আসছে। ১৮০১ সাল। 'নাইনটিন্থ সেঞ্চুরি' তাৎপর্যপূর্ণ একশোটি বছরের মোড়ক খুলছে। মানুষ আর থেমে থাকবে না। রামকমল এলেন নগর কলকাতার কলুটোলায়। একালের ভাষা 'বিজনেস হবে।' কলুটোলার রামজয় দত্তের কাছে ইংরেজি শেখা শুরু হল। রামকমল বলছেন, 'আমি এখন একজন হিন্দু পরিচালিত এমন একটি স্কুলে ইংরেজি পড়তাম, যেখানে 'তুতিমামা' ও 'আরব্য উপন্যাস' থেকে কিছু কিছু অংশ ছেলেরা পড়াশুনা করত। কিন্তু সেখানে না ছিল কোনো অভিধান, না ছিল কোনো ব্যাকরণ।' উদ্যোগী, মেধাবী, বুদ্ধিমান রামকমল তাঁর তরুণ বয়সেই বুঝতে পেরেছিলেন, একটা নতুন যুগ এসে গেছে। পালে লেগেছে নতুন ঝোড়ো বাতাস। নিজেকে প্রস্তুত করতে হবে সেইভাবে।

প্রয়োজন অর্থের। উচ্চ শিক্ষার তেমন কোনো ব্যবস্থাই নেই। পাঠশালের পাঠ্য, দুটি বই—'গুরু দক্ষিণা' আর 'শুভংকরী।' ছাপাখানা নেই যে ভালো ভালো বই ছাপা হবে। বাংলা ভাষার প্রথম জীবনীগ্রন্থ কৃষ্ণদাস্ম কবিরাজের 'চৈতন্যচরিত'। দুটি মঙ্গলকাব্য 'মনসামঙ্গল' 'ধর্মমঙ্গল'। কাশীরাম দাসের 'মহাভারত', কৃত্তিবাসের 'রামায়ণ', কবিকঙ্কণের 'চণ্ডী', ভারতচন্দ্রের 'অন্নদামঙ্গল'। বাংলার ভাণ্ডারে আর কিছু নেই।

রামকমলের কলকাতা জীবন শুরু হয়েছিল ১৮০০ সালের ১৯ নভেম্বর। শিক্ষা যা হল, তাই হল। এবার চাকরি। সেই সময় কলকাতার চিফ ম্যাজিস্ট্রেট নিযুক্ত হয়েছেন মিস্টার ব্লাকোআর। তাঁর এক সহকারী মিস্টার নামি। এই নামি সাহেবের দপ্তরে রামকমল চাকরি পেলেন। সেকালের বঙ্গসন্তান—চাকরির পর অবশ্যই বিবাহ। এই পরিবার-গঠন প্রক্রিয়াটি মধুর একটি ধর্ম-ধর্ম-পত্নীলাভ। সংসারের সুখ-দুঃখ। পারিবারিক আশ্রয়, পারস্পরিক নির্ভরতা। আত্মীয়স্বজন, গৃহদেবতা, পূজা-পাঠ, বার-ব্রত। ১৮০৩, ১০ ডিসেম্বর রামকমল বিবাহ করে সংসার জীবনে প্রবেশ করলেন।

পিতা গোকুলচন্দ্র ইংরেজ সরকারের বেসামরিক স্থপতি আর ব্লেকিন্‌ডেন সাহেবের কাছে পুত্রকে নিয়ে গেলেন। রামকমল শিক্ষানবিশ হিসাবে কাজ শুরু করলেন। রামকমলের উত্তরণের পেছনে অদৃশ্য কোনো শক্তির উপস্থিতি ছিল অবশ্যই। জীবনের যাত্রাপথ কোথা থেকে কোথায় চলেছে—তিনি নিজেও বোধহয় জানতেন না। একজন বড় মানুষ হবেন—এইটুকুই বোঝা যায়। কলকাতার অভিজাত এক পরিবারের স্থপতি হবেন তিনি।

১৮০৪ সালে তিনি নিযুক্ত হলেন হিন্দুস্থানী প্রেসে, আট টাকা বেতনে। ক্রমশই তিনি তাঁর জীবনের মূল ধারার দিকে সরছেন। ১৮০৮ সালে তিনি চাকরি পেলেন চাঁদনি হাসপাতালে। ১৮১২ সালে রামকমল এলেন ফোর্ট উইলিয়াম কলেজে—কর্নেল রামসের অধীনে। হিন্দুস্থানী প্রেসে কাজ করার সময় রামকমল ডাঃ এইচ এইচ উইলসনের সু-নজরে এসেছিলেন। এই ভদ্র, পরিশ্রমী যুবকটিকে তাঁর ভাল লেগেছিল। সাহেব অনুভব করেছিলেন, এই বঙ্গ যুবকের মনে জ্ঞানের স্পৃহা আছে। উইলসন রামকমলকে এশিয়াটিক সোসাইটিতে যোগ দিতে বললেন। কেরানীর

চাকরি। মাসে মাইনে ১২ টাকা। বাঙালির শ্রেষ্ঠ জীবিকা তখন কেরানিগিরি। কেরাণীর কলকাতা। বিনয় ঘোষ বর্ণনা দিচ্ছেন এইরকম—'এদেশী কেরানীদের বসবার ঘর ছিল আলাদা। সেই ঘরে আটজন থেকে বারজন বাঙালি কেরানী কাজ করতেন। অনেকে মেঝের উপর আসন পেতে বসতেন এবং হাঁটুর উপর, অথবা সামনের একটি বাক্সের উপর খাতা রেখে লিখতেন। কেউ কেউ অবশ্য চেয়ারে বসে ডেস্কেও লিখতেন। বাঙালি কেরানীদের বাংলা ও ইংরেজি দুই ভাষাতেই লিখতে হত। তাঁদের মাসিক বেতন ছিল ৪ টাকা থেকে ১০ টাকা। অন্য একটি ঘরে পাঁচজন-ছজন ফিরিঙ্গি কেরানী। তাঁদের বেতন ছিল ৬০ টাকা থেকে ১০০ টাকা। ফিরিঙ্গি কেরানীদের মর্যাদা বাঙালিদের চেয়ে অনেক বেশি ছিল। তাঁদের 'স্টেটাস' মাসিক বেতনেই বিলক্ষণ প্রতিফলিত হত।' বিনয় ঘোষ লিখছেন, 'বাঙালি কেরানীদের যে কোনো মর্যাদাই ছিল না সাহেবদের কাছে, তা নয়। মর্যাদা তাঁদের ছিল, বিশ্বাসভাজনও তাঁরা ছিলেন, কিন্তু তাঁদের একমাত্র অপরাধ ছিল এই যে তাঁরা ব্লাক নেটিব হয়ে জন্মেছিলেন। তখনও সভ্য মানুষের সমাজে চামড়ার সাদা-কালো-হলদে রঙের বৈষম্যবোধ অত্যন্ত তীব্র ছিল।' নব্য সভ্যতার অগ্রদূত ইওরোপীয়দের মধ্যে এই বোধ যতটা তীব্র ছিল ততটা বোধহয় আর কোনো জাতের মধ্যে ছিল না। হতভাগ্য বাঙালি কেরানীরা গাত্রবর্ণের ট্রপিকাল কৃষ্ণতার জন্য সেদিনের শহুরে সমাজে মর্যাদা ও বেতন দুইই কম পেয়েছেন। যোগ্যতার অভাবের জন্য নয়। তবু সেদিনের ৪-১০ টাকা ও ৮-২০ টাকা গ্রেডের বাঙালি কেরানীরা সমাজে যে আর্থিক প্রতিষ্ঠা লাভ করেছেন, এবং যে রকম দাপট দেখিয়ে গেছেন, আজকের 'আপার' তো দূরের কথা, কোনো 'সুপার' গ্রেডের কেরানীও তা কল্পনা করতে পারেন না।

এশিয়াটিক সোসাইটিতে রামকমলের কেরানীগিরি ছিল সম্পূর্ণ অন্যরকমের। এই পদ থেকেই তাঁর ক্রমবিকাশ বুদ্ধিমার্গে। এই সময় থেকেই শুরু হল তাঁর প্রকৃত বিদ্যাচর্চা। এক জায়গায় তিনি বলছেন, 'আমার জীবনদর্শন ওয়ার্ডওয়ার্থের জীবন দর্শন। অনেকটা এক। ওয়ার্ডসওয়ার্থ বলছেন, শৈশব থেকে আমার চিন্তাধারা ধীরে ধীরে

সস্ত্রীক ভজনানন্দ

কেশবচন্দ্র   জগন্মোহিনী

সামনের সারি
বাম দিক থেকে দ্বিতীয় : প্রতাপচন্দ্র মজুমদার, মধ্যে : কেশবচন্দ্র সেন, ডান দিক থেকে দ্বিতীয় : ত্রৈলোক্যনাথ সান্যাল
(কেশবচন্দ্র সেন এবং তাঁর অনুরাগীবৃন্দ)

স্বামী ব্রহ্মানন্দ (রাখাল)
(১৮৬৩ — ১৯২২)

সাধারণ ব্রাহ্ম সমাজ

স্বামী বিবেকানন্দ (নরেন্দ্রনাথ)
(১৮৬৩ — ১৯০২)

ঈশ্বরচন্দ্র বিদ্যাসাগর
(১৮২০ — ১৮৯১)

প্রভুপাদ বিজয়কৃষ্ণ গোস্বামী

অধ্যাপক ম্যাক্সমুলার
(১৮২৩ — ১৯০০)

ধর্মের সমন্বয়

ভারতবর্ষীয় ব্রাহ্ম মন্দির

মানবজাতি ও মানবের ভালোমন্দের দিকে আকৃষ্ট হয়েছে। প্রকৃতি মানুষকে অগ্রগতির পথে পরিচালিত করেছে।' এসিয়াটিক সোসাইটি বিশ্বের প্রাচীনতম সাংস্কৃতিক প্রতিষ্ঠান। প্রতিষ্ঠাতা, উইলিয়াম জোনস্। ১৭৮৩ সালে সুপ্রীম কোর্টের বিচারপতি হয়ে কলকাতায় আসেন। প্রাচ্যবিদ্যা, বিভিন্ন প্রাচ্য ভাষায় সুপণ্ডিত। এই বিভাগে আরো অনুসন্ধান ও অনুশীলনের জন্যে একটি প্রতিষ্ঠান গড়ে তোলার ইচ্ছা হল তাঁর। ১৫ জানুয়ারি, ১৭৮৪, সুপ্রীম কোর্টের Grand Jury-দের বসার ঘরে একটি সভা হল। উপস্থিত ছিলেন তিরিশজন প্রাচ্য বিদ্যানুরাগী ইওরোপীয়। স্থাপিত হল 'এশিয়াটিক সোসাইটি'। 'সভার কাজকর্ম কিছুকাল সুপ্রীম কোর্ট ভবনেই চলতে থাকে। তারপর ১৮০৫ সালে চৌরঙ্গি পার্ক স্ট্রিটের সংযোগস্থলে সরকার গৃহ নির্মাণের জন্য ভূমি দান করেন। ক্যাপ্টেন লক-এর নকশা অনুযায়ী ফরাসী ইঞ্জিনিয়ার জ্যাঁ জ্যাক পিসোঁ গৃহ নির্মাণের কাজ শেষ করেন ১৮০৮ সালে।' [বিনয় ঘোষ]

প্রবল পরিশ্রম প্রচণ্ড অধ্যাবসায় ও প্রচেষ্টা সর্বোপরি জ্ঞান তৃষ্ণা এই হল রামকমলের জীবন এবং কেশবচন্দ্রের উৎস। এই যাবতীয় গুণের অধিকারী হবেন পৌত্র কেশবচন্দ্র। 'বঙ্গীয় এশিয়াটিক সোসাইটির কাজ তিনি এমন সুচারুভাবে করেছিলেন যে, পরে তিনি এখানে বাঙালি সেক্রেটারি ও কাউন্সিলের বাঙালি সভ্যরূপে স্থানলাভ করেন।'

রামকমল শুধু একটি নাম নয়, নামের মোড়কে একখানি চরিত্র। প্রাচীন আধুনিকের সমন্বয়। ভক্তি ও যুক্তির মিলন। জ্ঞানের ভূমি থেকে সঙ্কীর্ণতার পলায়ন। রামকমলের জীবনে উইলসনের বিরাট অবদান। ১৮২৮ সালে রামকমল ডাক্তার উইলসনের অধীনে টাকশালের দেওয়ান হলেন। এরপর তাঁর আরোহণের পর আরোহণ। ১৮৩২ সালের শেষে (১৪.১১.৩২) বেঙ্গল ব্যাঙ্কের দেওয়ান নির্বাচিত হয়ে আমৃত্যু ওই পদে ছিলেন। এর আগে ১৮২৩ সালে হিন্দু কলেজের অধ্যক্ষ হয়েছেন। ১৮৩৫ থেকে ১৮৩৯ সংস্কৃত কলেজের সেক্রেটারি। কলকাতা মেডিক্যাল কলেজের অন্যতম প্রতিষ্ঠাতা, সুপারিশ কমিটির সভ্য, সরকারি বিমা কোম্পানির সাব-কমিটির একমাত্র বাঙালি সভ্য। সেভিংস ব্যাঙ্ক কমিটির সভ্য। ডিস্ট্রিক্ট চ্যারিটেবল সোসাইটির সভ্য, সোসাইটির হাসপাতালের

অধ্যক্ষ, জমিদার সভার প্রতিষ্ঠাতা ও নিয়মাবলী রচয়িতা। ১৮২৩ সালে পাদরী কেরীর সহযোগিতায় অ্যাগ্রিকালচারাল অ্যান্ড হর্টিকালচারাল সোসাইটি স্থাপন করেন। ১৮৩৭ সালে তিনি এই সোসাইটির সহকারী সভাপতি নির্বাচিত হন। ডাক্তার ওয়ালিচ এক দিনেমার উদ্ভিদ তত্ত্ববিদ্। ১৮১৪ সাল। ডাক্তার ওয়ালিচের মাথায় এল কলকাতায় একটি মিউজিয়াম স্থাপন করতে হবে। এশিয়াটিক সোসাইটিতে বসে এই পরিকল্পনার উদ্ভব। রামকমল তাঁর সহযোগিতায় এগিয়ে এলেন। তারপর এই সোসাইটিতেই প্রত্নতাত্ত্বিক, ভূতাত্ত্বিক নানাবিধ দুষ্প্রাপ্য বস্তু সংগ্রহের কাজ শুরু হল।

ভারতীয় যাদুঘরের সূচনা পর্ব।

'রিফর্মার' রামকমলের অবদান—মুমূর্যু ব্যক্তিদের গঙ্গায় ডুবিয়ে মারা (অন্তর্জলি), চড়কে শূলে বিদ্ধ হওয়া ইত্যাদি কুপ্রথা নিবারিত হয়েছিল। ইচ্ছা থাকলে একজন মানুষ কি না পারেন! নিজের চেষ্টায় ইংরেজি ভাষায় সুপণ্ডিত হয়ে উঠলেন। প্রাচীন বাংলা ভাষা এবং সংস্কৃতে তাঁর প্রগাঢ় জ্ঞান। নৈতিক আদর্শের জন্যে স্বদেশী এবং বিদেশীরা তাঁকে সমান শ্রদ্ধা করতেন। তিনি ছিলেন খাঁটি হিন্দু, গোঁড়া হিন্দু। ডিরোজিও ও তাঁর 'কিছুটা উচ্ছৃঙ্খল' অনুগামীদের 'লণ্ডভণ্ড প্রক্রিয়া' সহ্য করতে পারতেন না। আকর ভেঙে নতুন কিছু গঠন করা যায় না। 'রামমোহন রায় স্বাধীন জিজ্ঞাসা ও চিন্তার অগ্রগতিতে যে বেগশক্তি সঞ্চার করেছিলেন তা ইতোমধ্যেই গোঁড়ামিতে আঘাতে দিয়েছিল। তাই এই যুবক সম্প্রদায়ের স্বাধীনতা ও অমিতাচারকে আর সহ্য করা যাচ্ছিল না।' (প্যারীচাঁদ) এই কারণেই রামকমল হিন্দু কলেজ থেকে ডিরোজিওর অপসারণে ভূমিকা নিয়েছিলেন।

১৮৩৯ সালে রামকমল কাউন্সিল অব এডুকেশনের সভ্য মনোনীত হলেন। সেই সময় কাউন্সিলের কর্ণধার—স্যার এডওআর্ড রায়ন, সি. এইচ. ক্যামেরন, ডাক্তর গ্রান্ট। মেম্বার হিসাবে রামকমল অনেক ভাল কাজ করেছিলেন। ছাত্রজীবনেই দেশীয় শিক্ষার জগতে রামকমল ভয়ঙ্কর একটি অভাব অনুভব করেছিলেন। ইংরেজি ও বাংলা অভিধান। শব্দ ভাণ্ডারের প্রসার এবং ভাষার আদান-প্রদান ছাড়া রচনা ও সাহিত্যে সমৃদ্ধি আসে না। ভাষাও ক্রমশ দুর্বল, এমন কি অবলুপ্ত হওয়াও সম্ভব। জাতি

এবং ভাষা পরস্পর সম্পৃক্ত। সেই কাজটি অবিলম্বে করা দরকার।

এগ্রি হর্টিকালচারে তিনি ডাক্তার কেরীর সহকর্মী ছিলেন। কেরী তাঁর জীবনে মস্ত এক প্রভাব। ক্রমে তিনি এই সোসাইটির দেশীয় সেক্রেটারি ও কালেক্টার হয়েছিলেন। শেষ পর্যন্ত তিনি সহ সভাপতি মনোনীত হন। এইকালে 'ট্রানজাকসানস্' পত্রিকায় কাগজ প্রস্তুতের পদ্ধতি সম্পর্কে একটি প্রবন্ধ লিখে তাঁর জ্ঞানের বহুমুখীনতার পরিচয় রেখেছিলেন।

সংস্কৃত ভাষাকে তিনি মাতৃসম জ্ঞান করতেন। বহু ভাষার জননী সংস্কৃত।

সেই অনুরাগের বশে হিন্দু কলেজের পাশে একটি বাড়ি নির্মাণ করালেন। এই বাড়িটির পরবর্তীকালের সুবিখ্যাত 'অ্যালবার্ট হল'। সংস্কৃত কলেজের অধ্যাপকদের সঙ্গে আলাপ-আলোচনায় দিনের কিছুটা সময় এখানে কাটাতেন। সেই সময় তিনি ছিলেন সংস্কৃত কলেজের সেক্রেটারি। সেই সময় কলকাতায় ইংরেজরা একটি অ্যাকাডেমি স্থাপন করেছিলেন—'পেরেনট্যাল অ্যাকাডেমি' পরে তার নাম হল, 'ডাভাটন কলেজ'। রামকমলকে এই প্রতিষ্ঠানটির পরিচালনার দায়িত্ব নিতে হল। এই অ্যাকাডেমি বিদেশীদের উপকারের জন্য জেনেও রামকমল এই গুরুদায়িত্ব সাগ্রহে গ্রহণ করেছিলেন একটি মাত্র কারণে—তিনি বিশ্বাস—করতেন সকলের জন্যেই শিক্ষা কল্যাণপ্রসূ।

গোঁড়া হিন্দু রামকমল ছিলেন বিজ্ঞানমনস্ক এবং প্রগতিশীল। ডিস্ট্রিক্ট চ্যারিটেবল সোসাইটির উৎসাহী সদস্য ছিলেন রামকমল। দাতব্য প্রতিষ্ঠান, কিন্তু চিন্তাভাবনা অন্যরকমের। কলকাতায় এদেশীয় দরিদ্রদের সাহায্যের জন্য একটি সাব কমিটির তৈরি হল। শহরটিকে ভাগ করে, এক একটি ভাগের সীমানা নির্দিষ্ট হল। রামকমল ধনীদের কাছে একটি ভাগের সীমানা নির্দিষ্ট হল। রামকমল ধনীদের কাছে একটি আবেদন রাখলেন—এক জায়গায় লিখলেন যার সারাংশ হল, 'দয়ালুদের বিবেচনারহিত দক্ষিণার কুফল এবং রোগের যন্ত্রণাময় ক্লান্তি এবং সংক্রমণ প্রসঙ্গ।' তিনি সংক্রমণের কথা ভাবছেন, যা একালের উন্নত বিজ্ঞানের বিষয়। বলছেন, 'কোনো ধনী, আত্মীয়ের রোগশয্যার পাশে দূরদেশের অপরিচ্ছন্ন সন্ন্যাসীদের সমবেত করেন। এতে রোগের সংক্রমণ বেড়ে যায়। মৃত্যু ত্বরান্বিত হয়।

সংক্রমণ বাহিত হয়ে চতুর্দিকে ছড়িয়ে পড়ে।' ১৮৩০ সালে রামকমল ইংরেজি ও বাংলা অভিধান লেখা শেষ করেন। অভিধানখানি ৭০০ পৃষ্ঠার বই হয়ে দাঁড়ায়! 'ফ্রেন্ড অব ইন্ডিয়ার' সম্পাদক জে. সি. মার্শম্যান সাহেব এই অভিধানখানিকে এই শ্রেণীর গ্রন্থসমূহের মধ্যে সবচেয়ে সম্পূর্ণ ও মূলবান এবং রামকমলের পরিশ্রম, প্রচেষ্টা ও পাণ্ডিত্যের স্থায়ী নিদর্শন বলে গণ্য করেন। এই গ্রন্থ প্রণয়নের জন্যে তাঁর নাম ভবিষৎ বংশধরদের কাছে স্মরণীয় হয়ে থাকবে।' [প্যারীচাঁদ]

কলকাতায় মেডিক্যাল কলেজ স্থাপিত হবে। তার আগে জানা দরকার কলকাতায় চিকিৎসাবিদ্যা শিক্ষার প্রচলিত অবস্থাটা কি! একটি কমিটি তৈরি হল। রামকমল নির্বাচিত হলেন অন্যতম সদস্য।

সব একসঙ্গে এগচ্ছে। সময়, শাসন, জীবন, পরিস্থিতি। পুরনো সংস্কার পিছু হটছে। নতুন শিক্ষা নতুন সুরে বাজছে। প্রাচীন আর নবীনের মধ্যে ফারাক তৈরি হচ্ছে। গ্রাম আর নগরের মধ্যে ব্যবধান স্পষ্ট হচ্ছে। বিত্তের ওপরতলা আর নিচের তলার মাঝখানে মধ্যবিত্তরা নতুন জমি খুঁজে পেয়েছে। জমিদারদের আত্মঘাতী অবস্থান, ব্যবসাদারদের উল্লাস। 'সায়েব বিবি গোলাম', 'জলসাঘর'। সেইদিন আসছে—নৃত্যসুন্দরী হোটেল-বারে ভিন্ন পোশাকে সর্পিণী, হাইকোর্টে হাজার মামলা, নিলামের হাতুড়ি পূর্বপুরুষের মাথায়। শিক্ষিত মানুষের 'ভোকাব্যুলারিতে' পার্লামেন্ট, হাউস অব কমনস, আই সি এস, বার অ্যাট ল। এর মাঝে রামকমল স্থির অচঞ্চল। তাঁর 'চলা' আছে, 'বলা' নেই। তাঁর 'করা' আছে, 'আস্ফালন' নেই। এইটাই তাঁর ধর্ম।

ডাক্তার এইচ. এইচ. উসলসন একটি চিঠিতে রামকমলকে লিখছেন: 'আমি আশা করি যে, যেসব গুরুত্বপুর্ণ পদে আপনি অধিষ্ঠিত আছেন আরও কয়েক বৎসর পরে আপনার পুত্রদের মধ্যে একজনের উপর তাদের ভার ন্যস্ত করে আপনি সসম্মানে অবসরগ্রহণ করে আরাম উপভোগ করতে পারবেন। তখন পরবর্তী বংশধরদের যে উন্নতিসাধনে আপনি এতো বেশি উদ্যমের সঙ্গে অংশ নিয়েছেন শুধু তাতেই নিজেকে নিয়োজিত রাখার সুযোগ পাবেন।'

আর একটি চিঠিতে ডাঃ উইলসন লিখছেন, 'আমি কোনোদিন চুপ

করে বসে থাকা পছন্দ করি না। কিন্তু আপনি শ্রমের আদর্শে দেখছি আমারও উপর গিয়েছেন। আপনার উভয় পুত্রকেই আমার আন্তরিক শ্রদ্ধা দেবেন। তাঁদের নিশ্চিত জানাবেন যে, তাঁরা আপনার পদাঙ্ক অনুসরণ করে প্রতিভা, শ্রম ও নৈতিক উৎকর্ষলাভের জন্যে আপনার মতো চরিত্র গঠন করছে, এই কথা শোনার চেয়ে বেশি আনন্দ আমাকে আর কিছুই দিতে পারবে না। শেষোক্ত গুণ দুটি তারা চেষ্টা করলেই অর্জন করতে পারে। প্রতিভা কতক পরিমাণে জন্মগত ঠিকই, কিন্তু প্রকৃতিগত শক্তির ন্যূনতা না থাকলে সাধারণ শ্রমের দ্বারাও যে পরিমাণ প্রতিভা অর্জন করা যায় তাতেই প্রত্যেক মানুষ সম্মান ও সাফল্যের সঙ্গে জীবন কাটাতে পারে।

যে ক'জন বিদেশী ভারতবর্ষকে নিজেদের দেশের চেয়েও ভালোবেসেছিলেন, দূর অতীতে বসে উজ্জ্বল ভবিষ্যৎ ভারতের ছবি এঁকেছিলেন তাঁদের মধ্যে ডাক্তার ফোরেস হেম্যান উইলসন একজন। ১৭৮৬ খ্রিস্টাব্দের মানুষ, ১৮০৮ সালে ইস্ট ইন্ডিয়ার কোম্পানির সার্জেন হয়ে এদেশে এসেছিলেন। ১৮১০ সালে কলকাতার মিন্টে অ্যাসিস্ট্যান্ট অ্যাসেমাস্টার হয়ে কর্মজীবন শুরু করেন। কোল ব্রুকের সংস্পর্শে এসে ভারত-বিদ্যা চর্চা শুরু করেন। সেই বিষয়ে বিশেষ খ্যাতি লাভও করেন। এশিয়াটিক সোসাইটির সেক্রেটারি পদে বৃত হন। এই সায়েবের কেরিয়ার অতি অদ্ভুত। ১৮১৯ সালে বেনারস সংস্কৃত কলেজের পরিদর্শক হয়ে সেই পুণ্যভূমিতে বেশ কিছুকাল থাকেন। দেশের শিক্ষা ব্যবস্থার উন্নতি সাধনে তাঁর বিশেষ ভূমিকা স্বীকৃত। তাঁরই প্রস্তাব অনুসারে ১৮২৪ সালে কলকাতায় স্থাপিত হয় সংস্কৃত কলেজ। তিনি হিন্দু কলেজেরও পরিদর্শক ছিলেন। এই কলেজের পুনর্গঠন ও ক্রমোন্নতিতে তাঁর অবদান স্মরণীয়। এই ভারতপ্রেমী ১৮৩৩ সালের জানুয়ারি মাসে বিলেত ফিরে যান। স্বদেশে ফিরে তিনি অক্সফোর্ডে সংস্কৃতের বোডেন প্রফেসর নিযুক্ত হন। এরপরে তিনি ইন্ডিয়া অফিস লাইব্রেরির গ্রন্থাগারিক হয়েছিলেন। তাঁর উল্লেখযোগ্য বইগুলির একটি হল—'হিন্দু থিয়েটার'।

রামকমলের পারিবারিক জীবনও ছিল খুব সুন্দর। স্নেহশীল কর্তব্যপরায়ণ

গৃহী। স্ত্রীর সঙ্গে সুন্দর সম্পর্ক ছিল। তাঁর পরিবারে সদস্য সংখ্যাও ক ছিল না। চারটি ছেলে—হরিমোহন, প্যারীমোহন, বংশীধর ও মুরলীধর সায়েবসুবোর সঙ্গে ওঠাবসা করলেও রামকমলের ধর্মনিষ্ঠা সেকালে সমস্ত মানুষের দৃষ্টি আকর্ষণ করেছিল, সম্পূর্ণ কুসংস্কার বর্জিত একজ মানুষ। তাঁর কিছু কিছু মত ও আদর্শ সমালোচিতও হত। এক গোস্বা ব্রাহ্মণের সঙ্গে তিনি যে আচরণ করেছিলেন তা থেকে এইটুকুই বো যায়—তিনি জানাতে চেয়েছিলেন গোস্বামীর ছেলে গোস্বামী হবে, শুধুমা জন্মসূত্রে, একথা বিশ্বাস করি না। গোস্বামী তখনিই গোস্বামী যখন তি শাস্ত্রজ্ঞ এবং ধার্মিক। উপাধি কোনও ব্যাপার নয়, রামকমল সেন প্রতিদি ঈশ্বরের কাছে প্রার্থনায় বসতেন। তাঁর কাছে পূজার চেয়েও প্রার্থনা ছি বড়। তিনি প্রতিদিন তাঁর হৃদয়ের কথা ভগবানকে নিবেদন করতে একটি প্রার্থনায় তিনি সাশ্রুনয়নে ভগবানকে এই কথা বলতেন—ঈশ্ব পুত্র, পৌত্র, ধন, ঐশ্বর্য কিছুই দিতে তুমি বাকি রাখনি। এখন এইটু কর যেন আমি এইসবে আবদ্ধ না থেকে তোমার পাদপদ্মে মগ্ন হ পারি। প্রতিদিন দিবসান্তে তিনি স্বহস্তে সিদ্ধ পক্ক হবিষ্যান্ন রান্না ক ভোজন করতেন। যাঁর এত ঐশ্বর্য তিনি অনেকসময় পেয়ারা ভাতে দি ভাত খেতেন। এদিকে অন্য লোককে উৎকৃষ্ট ভোজ্যসামগ্রী আহা করাতেন। প্রতিবছর সহস্রাধিক বৈদ্যকে আমন্ত্রণ করে সুভোজ্য খাদ্যদ্র খাওয়াতে ভীষণ আনন্দ পেতেন।

এই হলেন রামকমল, ভোগ এবং বিষয়ের মধ্যে থেকেও ত্যাগীর জীব যাপন করতেন, কৃচ্ছ্রসাধনে কট্টর বৈষ্ণবকে টেক্কা দিতেন। ইংরেজের স ওঠাবসা করতেন, আবার কুসংস্কারের বিরুদ্ধে সংগ্রামও করতে ডিরোজিওর উচ্ছৃঙ্খল যুব জাগরণের ঘোরতর বিরোধী ছিলেন। এক অপূ চরিত্র। পিতামহের এই সংস্কার পৌত্র কেশবচন্দ্রে সঞ্চারিত হবে।

রামকমলের দ্বিতীয়পুত্র প্যারীমোহনের সংসারটি বেশ বড় ছিল। তাঁ তিন ছেলে ও চার মেয়ে, সেকালে এইরকমই হত। ছেলেদের না হল—নবীনচন্দ্র, কেশবচন্দ্র ও কৃষ্ণবিহারী। প্যারীমোহন জীবনে সুপ্রতিষ্ঠি টাকশালের দেওয়ান ছিলেন। অতি সুপুরুষ, অত্যন্ত দয়ালু। রামকম যেমন নিজের প্রচার চাইতেন না, নিজেকে অন্তরালে রাখতে

ভালোবাসতেন। পুত্র প্যারীমোহনও ছিলেন অবিকল তাঁর পিতার মতো। অকাতরে দান করতেন, কিন্তু গোপনে। দুঃখের বিষয় এই তিনি ছিলেন স্বল্পায়ু। প্যারীমোহন দাদা হরিমোহনের অত্যন্ত বাধ্য ছিলেন। সেই কারণেই লোকে দুই ভাইয়ের নাম একসঙ্গে করে ডাকতেন, বলতেন—হরিপ্যারী। সেই কলকাতায় এ এক অভাবনীয় ব্যাপার।

রামকমল সেনের মৃত্যুর পর জ্যেষ্ঠ হরিমোহনই পরিবারের সমস্ত দায়িত্বভার গ্রহণ করেন। প্যারীমোহন প্রচুর টাকা রোজগার করলেও হরিমোহনই ছিলেন সর্বেসর্বা। একটি ঘটনা ভারি সুন্দর। প্যারীমোহন তাঁর দাদার কতটা অনুগত ছিলেন এই ঘটনাই তার উদাহরণ। ঘটনাটি হল—সেবার আমের মরসুমে অনেক দাম দিয়ে এক ঝুড়ি আম কিনলেন, নিজের জন্য নয়, অপরকে বিতরণ করবেন বলে। এইটিই ছিল তাঁর স্বভাব। রামকমল যেমন খাওয়াতেন প্যারীমোহন তেমন ভালো ভালো জিনিস সকলকে দান করতেন। যথারীতি সেই দামি আম বিতরণ করা হল। হরিমোহন একটু অসন্তুষ্ট হলেন। তিনি বললেন, এত দামি আম বিতরণ করে কী লাভ? গ্রহীতার স্বভাব হরিমোহন ভালোই জানতেন। দাদা অসন্তুষ্ট হয়েছেন জেনে প্যারীমোহন আম কেনা বন্ধ করলেন ও নিজে আম খাওয়া ছেড়ে দিলেন। রামকমল সেনের পরলোকগমনের পাঁচ বছর পরেই প্যারীমোহন মারা গেলেন। কেশবচন্দ্রের বয়স তখন এগারো বছর। প্যারীমোহনের মৃত্যুতে পাড়াপ্রতিবেশী এবং পরিবার পরিজন শোকে ভেঙে পড়েছিলেন। সমগ্র পল্লী হৃদয়বিদারক কান্নার শব্দে প্রমাণ করেছিল মানুষটি তাদের কত প্রিয় ছিলেন।

কেশবচন্দ্রের মাতামহের নাম গৌরহরি দাস। নিবাস-গড়িফা, শুদ্ধ বাংলায় গৌরীফা। গৌরহরি ছিলেন নামকরা কবিরাজ। ঘোর শাক্ত। ইনি বৈষ্ণবতন্ত্র সাধন করতেন। সেই কারণে মদ্যাদি স্পর্শ করতেন না। গৌরহরির তৃতীয় কন্যার নাম সারদা। ইনি কেশবচন্দ্রের মাতা। গৌরহরির জ্যেষ্ঠপুত্র অভয়াচরণও এক মস্ত সাধক। মাত্র ত্রিশ বছর জীবিত ছিলেন। মৃত্যু আসন্ন জেনে কাশীতে চলে যান। সেখানেই যোগাবস্থায় দেহত্যাগ করেন।

কেশবচন্দ্র এলেন। ১৯ নভেম্বর ১৮৩৮, শুক্লপক্ষ, দ্বিতীয়াতিথি, সোমবার, সকাল সাতটা। কোন বাড়িতে এলেন? কলুটোলার বাড়িতে। রামকমল সেন প্রথমে কলুটোলা স্ট্রিটে একটা ছোট বাড়ি কেনেন। তারপর সেই বাড়ি বিক্রি করে ওই কলুটোলাতেই মাধবচন্দ্র সেনের বাড়িটি কিনে নেন।

কেশবচন্দ্র যেদিন পৃথিবীতে প্রবেশ করলেন, সেই সময় সেন পরিবারে দুর্যোগ চলছে। জ্যেষ্ঠ ভ্রাতা নবীনচন্দ্র অসুস্থ, শয্যাশায়ী। সেই কারণে 'সেকালের বঙ্গ পরিবারের নিয়মানুসারে কোনও সূতিকাগারের ব্যবস্থা করা হয়নি, সেইসময় এটি একটি মহাকুসংস্কার। সন্তানের জন্ম হবে গৃহের একটি পরিত্যক্ত স্থানে। সেইভাবেই একটি নিম্নমানের ঘরকে প্রসূতির জন্য আলাদা করে রাখা হত। সেইরকম কোনও আয়োজন না থাকায় একটি পরিত্যক্ত স্থানে কেশবচন্দ্র পৃথিবীর আলো দেখলেন। সেটি একটি গুহার মতো জায়গা, যেখানে আলোবাতাস কিছুই ঢোকে না। অঘ্রান মাস, মন্দ শীত নয়, আঁতুড় ঘরে আগুনের ব্যবস্থা করা হয়েছিল। সেই বদ্ধ-প্রকোষ্ঠ ধোঁয়ায় এতটাই আবৃত্ত যে কিছুই দেখা যায় না। শ্বাস গ্রহণ করাও কষ্টকর ব্যাপার। নবজাতক এই ধোঁয়াভর্তি ঘরে দমবন্ধ হয়ে মারা যে যায়নি এটি মনে হয় ভগবানেরই করুণা। কিন্তু শিশুর পেটটি ফুলে উঠল। প্রায় মৃত। ভাগ্যভালো পরিবারের কর্তারা নিয়ম ভেঙে সেই ঘর থেকে শিশু ও জননীকে অপর একটি পরিচ্ছন্ন ঘরে নিয়ে গেলেন।

এদেশের প্রথা অনুসারে নামকরণ ও অন্নপ্রাশন একই দিনে অনুষ্ঠিত হয়। হরিমোহন সেন সবে বৃন্দাবন থেকে ফিরেছেন। ভ্রাতুষ্পুত্রের রূপ দর্শন করে তিনি মোহিত হলেন। খুব ঘটা করে অন্নপ্রাশন হল। বৃদ্ধ রামকমল সেন কেশবচন্দ্রকে প্রথম থেকেই অত্যন্ত ভালোবাসতেন। অন্নপ্রাশনের সময় একটি সোনার বালা তৈরি করানো হয়েছিল। বৃদ্ধ রামকমল বললেন—দেখি জিনিসটা! হাতে নিয়ে দেখলেন, হালকা ফং

ফং করছে। দূর করে ছুড়ে ফেলে দিয়ে বললেন, আমার নাতি এমন খেলো জিনিস পরবে না। সকলেই তটস্থ। আবার একটি বালা তৈরি করানো হল ছ ভরি সোনা দিয়ে। রামকমল দেখে বললেন, হ্যাঁ, এইবার ঠিক হয়েছে।

কেশবচন্দ্র নামটি দিয়েছিলেন হরিমোহন সেন। রামকমল নাম রেখেছিলেন শ্রীকৃষ্ণ। কোষ্ঠী অনুসারে রাশি নাম জয়কৃষ্ণ। শিশু কেশব বাল্য বয়স পর্যন্ত বাসুদেব নামক এক গৃহপরিচারকের কোলে কোলেই ঘুরতেন। সেই কারণে রামকমল আদর করে ডাকতেন বেসো। বাসুদেবের কোলে বেসো। ভারি লাবণ্যমণ্ডিত শিশু। যে-ই দেখতেন সে-ই মুগ্ধ হতেন। কাকা গোবিন্দচন্দ্র এই লাবণ্য দেখেই কেবশকে বলতেন গোঁসাই। পিতামহ ডাকছেন বেসো আর কাকা ডাকছেন গোঁসাই।

কলুটোলার বাড়ি সরগরম। বেসো গোঁসাই ভীষণ আদুরে ছেলে, তেমনি বায়নাদার। কোনও কিছুর আবদার ধরলে সেই আবদার পূর্ণ না হলে বাড়ি লণ্ডভণ্ড। যা চাই সঙ্গে সঙ্গে দিতে হবে। একদিন বায়না ধরলেন, আমি চারটে সন্দেশ খাব। মাতা সারদা সন্দেশের বদলে কয়েক ঘা চড় বসিয়ে দিলেন। রামকমলের কানে গেল। পুত্রবধূকে ডেকে পাঠিয়ে যৎপরোনাস্তি ভর্ৎসনা করলেন। বাসুদেবকে বললেন, চার চ্যাঙাড়ি সন্দেশ নিয়ে এস। কেশবচন্দ্রের চারপাশে সেই সন্দেশের ঝুড়ি সাজিয়ে দেওয়া হল। কেশবচন্দ্রের অন্তরঙ্গ জীবনীকাররা লিখে গেছেন 'এরূপ আবদার অনেক শিশুরই থাকে, কিন্তু কেশবচন্দ্রের ঈদৃশ আবদার চিরজীবনই ছিল।'

ছেলেবেলার এই আবদারের সঙ্গে আর একটি জিনিস ছিল, সেটি হল চরিত্রের শুদ্ধতা। এই শুদ্ধতাই ব্রাহ্ম কেশবচন্দ্র সেনের ভূষণ। যা দেখে স্বয়ং শ্রীরামকৃষ্ণ শুধু মুগ্ধ হননি, থেকে থেকে কেশবের জন্যে পাগল হতেন। বালক কেশবচন্দ্রের হাতে সবসময় থাকত একগাছি বেত, শাসনের প্রতীক। সেই বেত্রদণ্ড অবশ তিনি তাঁর সমবয়সিদের ওপর প্রয়োগ করতেন না। কারও বেচাল দেখলে তাঁকে দূরে সরিয়ে দিতেন। কথা বলতেন না। ভীষণ একটা উপেক্ষার ভাব। দোষী অবশেষে নিজে এসে দোষ স্বীকার করে দলভুক্ত হত।

ছেলেবেলা থেকেই কেশবচন্দ্রের এই আপোসহীন চরিত্র গড়ে উঠেছিল। পরবর্তীকালে এই আশ্চর্যভাবই তাঁকে নতুন ধর্মের প্রবক্তা করেছিল। কেশবচন্দ্রের ধৈর্য লক্ষ করার বিষয়। বাল্যকালে কোনও বন্ধুর সঙ্গে মতবিরোধ হলে তিনি কখনও তাঁর কাছে এগিয়ে যেতেন না। ধৈর্য ধরে অপেক্ষা করতেন। সেই বয়স থেকেই কেশবচন্দ্র বিশ্বাস করতেন, কেউ যদি নিজেকে নিজে সংশোধন করতে না পারে তাহলে তার সঙ্গে আপোস করা অর্থহীন। তাকে ধরিয়ে দিতে হবে তার ত্রুটি কোথায়। অপেক্ষা করে থাকতে হবে সে সংশুদ্ধ হয়ে ফিরে আসে কি না। যদি না আসে তার সঙ্গে কেশবের কোনও সম্পর্ক নেই। এইটিই হল বিশুদ্ধ আর্য চরিত্র।

বাল্যকাল থেকেই তাঁর চরিত্রের আর একটি বিশেষ গুণ সকলের চোখে পড়ত। সেটি হল অপরিগ্রাহিতা। কখনও কারও কাছে কিছু চাইতেন না, শত প্রয়োজন থাকলেও, কারওকে কোনও হুকুম করতেন না। বড় পরিবারে অজস্র কাজের লোক, নিজের কাজ নিজেই করে নিতেন যত কষ্টই হক।

পিতামহ রামকমল তাঁর এই নাতিটিকে সদাসর্বদা চোখে চোখে রাখতেন। কেশবের স্বভাব দেখে পিতামহ পুত্র প্যারীমোহনকে বলেছিলেন, তোমার এই ছেলেটি আমার নাম রাখবে। রামকমল বালক কেশবকে হরিনাম অর্পণ করেছিলেন। অনেককেই করেছিলেন। কেউ মনে রাখেনি, কেশবচন্দ্র কিন্তু সেই বয়স থেকেই ঠাকুর্দার দেওয়া হরিনাম সদাসর্বদা ভক্তিভরে উচ্চারণ করতেন। স্নানের পর পট্টবস্ত্র পরিধান করে হরিনামের ছাপে সর্বাঙ্গ ভূষিত করতেন।

ইংরেজিতে বলে লিডারশিপ। ছেলেবেলা থেকেই কেশব চরিত্রে এই অধিনায়কত্ব বিকশিত হয়েছিল। এই গুণটি তিনি তাঁর সংস্কারে নিয়ে এসেছিলেন। নরেন্দ্রনাথের চেয়ে বয়সে তিনি প্রায় পঁচিশ বছর এগিয়ে ছিলেন। বালক নরেন্দ্রনাথের চরিত্রে যেসব গুণ দেখা যেত, কেশবচরিত্রেও সেই একই গুণ লক্ষ করা যায়। দুই বালকই যেন এক স্বভাবের। এর থেকে এই সিদ্ধান্তে আসা যায়, প্রথম থেকেই চরিত্রে এইসব গুণ না থাকলে নায়ক হওয়া যায় না। কেশবচন্দ্র সেন এবং স্বামী বিবেকানন্দ

দু'জনেই যেন একই মুদ্রার এপিঠ আর ওপিঠ। দুজনেই নতুন দৃষ্টিভঙ্গি নিয়ে আধ্যাত্মিক ভূমিতে অবতীর্ণ হলেন। দুজনেই নেতা। দুজেনই বিশ্বচরিত্র। বালক কেশবচন্দ্র অধিনায়ক। বালকোচিত খেলাধুলা তিনি পছন্দ করতেন না। কেশবচন্দ্র সঙ্গীদের প্রচলিত খেলা দাঁড়িয়ে দাঁড়িয়ে দেখতেন। অংশগ্রহণ করতেন না। সেই খেলাতেই অংশগ্রহণ করতেন যা তিনি নিজে উদ্ভাবন করেছেন। এবং অধিনায়ক হতে পেরেছেন।

ভাই প্রতাপচন্দ্র মজুমদার কেশবচন্দ্রের বাল্যকালের কথা লিখছেন, 'যদি তিনি কখনও আমাদিগের সঙ্গে খেলা করিতে সম্মত হইতেন, তাহা হইলে তিনি কোনও নতুন খেলা অথবা যে খেলা কাহারও জানা নাই, সেই খেলা উদ্ভাবন করিতেন, এবং উহার প্রধান অংশ আপনার জন্য রাখিতেন। কখন কখন তিনি একটি ঔষধালয় খুলিতেন, আপনি তাহার ডাক্তার হইতেন, এবং আমাদিগের কাহাকেও তাঁহার অধীনস্থ উপস্থাতা (Apothecaries) এবং কাহাকেও কাহাকেও রোগী করিতেন। কখন কখন তিনি পোষ্টাফিস খুলিতেন, আমাদিগকে ডাকহরকরার কাজ দিতেন, এবং তিনি আপনি পোস্টমাস্টার জেনেরল হইয়া নাকে এক জোড়া সবুজ রঙের চশমা পরিয়া, জাঁকাল রকমে অফিসে বসিতেন। আমাদের মনে আছে, এক সময়ে তিনি আমাদিগকে একদল ইংরাজী বাজাদার করিয়াছিলেন। আমরা সকলে পায়ে পরনের ধুতি জড়াইয়া পাজামা করিলাম, এবং আমাদিগের কোনোরকমের বাদ্যযন্ত্র ছিল না বলিয়া, আমাদের তর্জ্জনী এবং বৃদ্ধাঙ্গুলি খুব ফাঁক করিয়া মধ্যে যে একটি গর্ত হইল, তাহার উপর মুখ লাগাইয়া ফুৎকার দিয়া অনুরাগভরে বাজন বাজাইতে লাগিলাম। আর সকলে যাহা করে কেশব তাহা করিয়া সন্তোষলাভ করিতেন না। তিনি কোথা হইতে একটি পুরাতন ঢোল আনিলেন, এবং তাহা একটি ছোট বালকের পিঠে রাখিয়া জোরে বাজাইতে বাজাইতে দলের আগে আগে চলিলেন।'

অদ্ভুত মিল দুজনের। বালক কেশবচন্দ্র আর বালক নরেন্দ্রনাথ। যেন একই সুরে বাঁধা। বালক নরেন্দ্র শ্রীরামচন্দ্রের ভক্ত ছিলেন। মেলা থেকে রাম, সীতার মূর্তি কিনে এনে ছাদের চিলেকোঠার ঘরে রেখে ধ্যানে বসতেন। গুরু শ্রীরামকৃষ্ণ তাঁকে রামমন্ত্রে দীক্ষা দিয়েছিলেন। বালক

মচন্দ্রের ভক্ত। ঠাকুরদা হরেকৃষ্ণ দিয়েছিলেন। কেশবচন্দ্র রামযাত্রার অনুরক্ত ছিলেন। মাঝে মাঝে বন্ধুদের নিয়ে ামযাত্রা করতেন। এইটাই ছিল তাঁর প্রিয় খেলা।

বাল্যকালে তাঁর অনেক বন্ধুবান্ধব ছিল। কিন্তু একটা দূরত্ব বজায় রেখে চলতেন। কারও সঙ্গে হলায়গলায় সম্পর্ক তৈরি করতেন না। এটি তাঁর আভিজাত্যেরই একটি দিক। বন্ধু নির্বাচনের ব্যাপারে চিরকালই তিনি ছিলেন খেয়ালি। যাঁর সঙ্গে কোনও সম্পর্ক নেই, হয়ত একবারই তাঁর নামটি শুনেছেন, তাঁকে অন্তরঙ্গ বন্ধু করায় আপত্তি দেখা গেল না। অথচ যাঁর সঙ্গে নিত্য মিশছেন তাঁকে বন্ধু বলে মানতে রাজি হলেন না। পরবর্তীকালে তিনি যখন সুবিখ্যাত হলেন তখন তাঁর পরিজনদের মনে হত এটি একটি যখন সুবিখ্যাত হলেন তখন তাঁর পরিজনদের মনে হত এটি একটি বিচিত্র স্বভাব। ব্যাখ্যা খুঁজে পাওয়া যাবে না। তিনি সরল মানুষ পছন্দ করতেন। জটিল, কুচুটে মানুষ থেকে দূরে থাকাই পছন্দ করতেন। তিনি পরীক্ষা করে, বাজিয়ে অন্তরঙ্গ গোষ্ঠী তৈরি করতেন। এই ব্যাপারে তাঁর স্বভাব ছিল চাপা। মনের কথা কারওকে বুঝতে দিতেন না।

ডাঃ উইলসন রামকমল সেনকে চিঠিতে চরিত্র গঠনের ওপর বিশেষ জোর দিতেন। তিনি বিশ্বাস করতেন, রামকমলের চরিত্রের ধারায় তাঁর পরিবার থেকে চরিত্রবান উত্তরপুরুষ অবশ্যই বেরবে। কারণ এটি পারিবারিক সংস্কার। কেশবচন্দ্র জ্বলন্ত উদাহরণ। তিনি চিরকাল চরিত্রের পূজারি ছিলেন। নিজের চরিত্র গঠনের প্রতি প্রখর দৃষ্টি ছিল। অসৎ চরিত্রদের তিনি সংশোধনের চেষ্টা করতেন। অর্থাৎ ধুয়ে মুছে তাঁকে গোষ্ঠীভুক্ত করা যায় কি না সে চেষ্টাও তাঁর থাকত। তিনি ভণ্ডামি ধরে ফেলতেন এবং সঙ্গে সঙ্গে বলে দিতেন, তুমি আর এসো না।

বালক কেশবচন্দ্র কীভাবে যেন সেই বয়স থেকেই মানব জীবনের কয়েকটি বিশেষ দিক ধরে ফেলেছিলেন। তা না হলে পরবর্তীকালে এতবড় একজন নেতা হতে কি পারতেন! জীবনের সত্য হল চতুর্দিকে প্রলোভনের ফাঁদ পাতা। যে কোনও মুহূর্তে পদস্খলন হতে পারে। আবার এমনও হতে পারে একজন মানুষ হঠাৎ ঘুরে দাঁড়ালেন। অতীতের ভ্রান্তি

মুছে ফেলে নতুন জীবনের দিকে এগতে থাকলেন দৃঢ় প্রত্যয় নিয়ে। এইটাই হল মানুষের চরিত্র। সেই বয়সেই আর একটি জিনিস লক্ষ করেছিলেন আজ যাঁকে পঞ্চমুখে প্রশংসা করা হচ্ছে কালই তাঁকে নিন্দামন্দ করে চরিত্রে চুনকালি মাখানো হচ্ছে। একটি সত্য তিনি স্বীকার করে নিয়েছিলেন—ইন্দ্রিয় গঠিত সমস্ত মানুষের মধ্যেই ত্রুটি আছে, দুর্বলতা আছে, তাঁর মধ্যেও আছে সেই কারণে কেশবচন্দ্র সদাই নিজের ত্রুটি অনুসন্ধান করে নিজেকে সংশোধন করার চেষ্টা করতেন। এইটিই ছিল তাঁর নিরন্তর সাধনা। এইখানেই শ্রীরামকৃষ্ণের ঘরানার প্রতিধ্বনি রয়েছে যেন। মা সারদা বলতেন, সবার আগে নিজের দোষ দেখবে। এর আবার একটি কুফলও ছিল। পরবর্তীকালে ব্রাহ্ম নেতা কেশবচন্দ্র সেন সমালোচিত হয়েছেন। শ্রীরামকৃষ্ণ তাঁকে বলেছিলেন,—এত পাপ, পাপ কর কেন! কেশবচন্দ্র সেন তাঁর প্রার্থনায় অনেকটা ক্যাথলিকদের মতো ছিলেন। হাতজোড় করে আকাশের দিকে চোখ তুলে নিষ্ঠাবান খ্রিস্টানদের মতো প্রার্থনা করতেন—আমাকে পাপ মুক্ত কর। পাপ, পাপ, পাপ। স্বামী বিবেকানন্দ সহুঙ্কারে বললেন, কীসের পাপ! কার পাপ! পৃথিবীতে পাপও নেই পুণ্যও নেই। আছে কর্ম, ধর্ম, কর্তব্য। আবার একথাও বললেন, পাপীকে ঘৃণা কোর না, ঘৃণা কর পাপকে। বেদান্তের ঝটকায় স্বামীজি সব উড়িয়ে দিতে চাইলেন—হেঁকে বল আমি শুদ্ধ। বুদ্ধ, মুক্ত। আমি চৈতন্য। এইটাই হল পুরুষকার। কেশবচন্দ্রও এই পুরুষকারে বিশ্বাস করতেন। কিন্তু ভয়ঙ্করভাবে পাপমনস্ক ছিলেন।

সেকালের নিয়মানুসারে কেশবচন্দ্রের লেখাপড়া শুরু হল নিতান্তই এক বাংলা পাঠশালায়। তীক্ষ্ণ বুদ্ধিসম্পন্ন এক বালক। ১৮৪৫ সালে বয়স হল সাত। ভর্তি হলেন হিন্দু কলেজে। প্রতিটি বাৎসরিক পরীক্ষায় তিনি পুরস্কৃত হতেন। ইংরেজি আর গণিতে তিনি ছিলেন সুদক্ষ। এই দুটি বিষয়েই পুরস্কার পেতেন। ১৮৫০ সালে তিনি যখন 'জুনিয়র' শ্রেণিতে পড়ছেন তখন যে পারিতোষিক পেলেন তাতে এত মোটা মোটা গণিতের বই পেলেন সেইসব বই বারো বছরের বালক কেশবচন্দ্রের পক্ষে বহন করা সম্ভব হল না। কেশবচন্দ্রের শোচনীয় অবস্থা দেখে শিক্ষক স্টরজিয়ন হাসতে হাসতে বললেন—'বৃহৎ পুস্তকবাহী ক্ষুদ্র বালক'। সাধারণত প্রতিভাধর ছেলেরা কিঞ্চিৎ ফাঁকিবাজ হয়। কেশবচন্দ্রের স্বভাব ছিল এর বিপরীত। তিনি ছিলেন ভয়ঙ্কর রকমের পরিশ্রমী। মাঝেমাঝে তাঁকে সারা বাড়ির কোথাও খুঁজে পাওয়া যেত না। নির্জন একটি ঘর ছিল। সেই ঘরে হারিয়ে যেতেন। ঘরটি ছিল একেবারে ওপরতলায়। একদিন খুঁজতে খুঁজতে বাড়ির পরিচারিকারা সেই ঘরে ঢুকে দেখলেন—কেশবচন্দ্র ভূমিতে চিত হয়ে শুয়ে আছেন, বুকের ওপর উপুড় হয়ে আছে একটি বই।

কেশবচন্দ্রের সেই বয়েসেই অসাধারণ অনুসন্ধানী বুদ্ধির পরিচয় পাওয়া গেল বিশেষ একটি ঘটনায়। হিন্দু কলেজ থিয়েটারে গিলবার্ট নামে একজন ফিরিঙ্গি ম্যাজিশিয়ান ম্যাজিক ল্যান্টারন সহযোগে ম্যাজিক দেখাচ্ছিলেন। এইসব খেলা মাঝে মাঝেই দেখান হত। কেশবচন্দ্র বারদুয়েক দেখলেন। এর এক সপ্তাহ পরে তিনি হাতে লিখে বিজ্ঞাপন দিলেন—কলুটোলার গৃহে ম্যাজিক ল্যান্টারন সহযোগে ঐন্দ্রজালিক ক্রিয়া প্রদর্শিত হইবে। টিকিটের মূল্য এক আনা। সহপাঠী বন্ধু, পাড়ার সমবয়স্ক বন্ধুরা টিকিট কিনল। কেশবচন্দ্র কোথা থেকে একটি পুরনো ম্যাজিক ল্যান্টারন সংগ্রহ করলেন। হাতে আঁকলেন অজস্র ভালো ভালো ছবি।

সেইসব ছবি সাদা পর্দায় প্রতিফলিত হল। সকলেই খুব অবাক। এর পরের আইটেম আরও অবাক করা কয়েকটি খেলা। যেমন মোমবাতি কেটে তার ভেতর থেকে বার করলেন একটি লাল রুমাল। কাঁচের গেলাসে সবাই দেখলেন লাল জল, যেই গায়ে ছিটিয়ে দিলেন সব হয়ে গেল ফুল। বন্ধুকের ভেতর সোনার ঘড়ি। একটি মোমের পুতুলের দিকে তাক করে যেই বন্দুক ছুড়লেন, চেনে ঝোলান ঘড়ি পুতুলটির গলায় দুলতে লাগল। ঘন ঘন করতালি। কলুটোলার পারিবারিক থিয়েটারে সেদিন মহাশোরগোল। বড়রা অবাক, ছোটরা কলরবমুখর।

১৮৫২ সাল, হিন্দু কলেজের সভ্য ও অন্যান্য সদস্যদের মধ্যে বিরোধ শুরু হল। একটি দল হিন্দু কলেজ থেকে বেরিয়ে গিয়ে মেট্রোপলিটান কলেজ স্থাপন করলেন। প্রধান উদ্যোগী হলেন ওয়েলিংটন স্কোয়ারের বিখ্যাত দত্ত পরিবার। রাজেন্দ্র দত্ত এই দেশে প্রথম হোমিওপ্যাথি চিকিৎসার প্রবর্তন করে যথেষ্ট খ্যাতি অর্জন করেছিলেন। এই কলেজ স্থাপনে রাজেন্দ্রবাবু প্রচুর পরিশ্রম ও অর্থব্যয় করেছিলেন। লোকের বাড়িতে বাড়িতে গিয়ে শুধু টাকাই নয় ছাত্রও সংগ্রহ করেছিলেন। মেট্রোপলিটনের দুই বিখ্যাত শিক্ষক হলেন—ক্যাপ্টেন রিচার্ডসন, ক্যাপ্টেন পামার।

এই কলেজ যাঁরা স্থাপন করলেন তাঁরা কেশবচন্দ্রের জ্যাঠামশাই হরিমোহন সেনকে ধরলেন, অনুরোধ করলেন, ভাইপো কেশবচন্দ্র যেন হিন্দু কলেজ ছেড়ে মেট্রোপলিটানে আসে। এখানে তাঁকে সর্বোচ্চ শ্রেণিতে ভর্তি করা হবে। এই সর্বোচ্চ শ্রেণিতে ইংরেজি বিষয়ে পড়ান হত মিল্টন, শেক্সপিয়র, বায়রন ইত্যাদি। ইংরেজি নিয়ে কেশবচন্দ্রের কোনও সমস্যা হল না, হল গণিত নিয়ে। হঠাৎ এক লাফে পাঠবিষয়ে ঢুকে গেল উচ্চ গণিত। যে বিষয়টিতে তিনি পুরস্কার পেতেন সেই বিষয়টির প্রতি এল ভয়ঙ্কর রকমের বীতরাগ।

ইতিমধ্যে একটি ঘটনা ঘটল—দত্ত পরিবার পয়সার অভাবে মেট্রোপলিটান চালাতে পারলেন না। কলেজটি বন্ধ হয়ে গেল। ১৮৫৪ সালে কেশবচন্দ্র আবার ফিরে এলেন হিন্দু কলেজে। পুরনো কলেজে ফিরে এলেও গণিতের প্রতি তাঁর স্বাভাবিক আকর্ষণ ফিরে এল না।

কেশবচন্দ্র সিলেবাস থেকে অঙ্ক বাদ দিতে চাইলেও তাঁর দাদা শুনলেন না। এই যে জোর করে তাঁকে অঙ্কে ঢোকানো হল, এর ফল হল আরও সাঙ্ঘাতিক। কলেজের ওপর থেকেই তাঁর শ্রদ্ধা চলে গেল। শেষ পর্যন্ত তিনি কলেজ ত্যাগ করলেন। এ সম্পর্কে ভিন্ন মতও আছে। এই পর্যায়ে কেউই তেমন পরিষ্কার তথ্য পাননি বলেই মনে হয়।

অনেকে বলেন, কলেজের নিয়মশৃঙ্খলা ও পরিশীলিত পাঠপ্রয়াস ত্যাগ করে ভালোই করেছিলেন। আবার অনেকে বলেন, খুবই মন্দ কাজ। কেশবচন্দ্রের সেইসময়, সেই বয়েসের প্রেক্ষিতে যাঁরা মন্দ বলেছিলেন তাঁদের দোষ দেওয়া যায় না। ভবিষৎ কজনই বা দেখতে পায়। আত্মীয়স্বজনরা খুব দুঃখ পেয়েছিলেন, বিমর্ষ, বিষণ্ণ হয়েছিলেন। সেইসময় বিদেশী ও স্বদেশীদের যুগ্মপ্রয়াসে ইংরেজি শিক্ষার বিস্তার ঘটছিল। স্কুল, কলেজ স্থাপিত হচ্ছিল, অনেকে শিক্ষার জন্য বিলেতে যাচ্ছিলেন। কেউ হবেন ব্যারিস্টার, কেউ উত্তীর্ণ হবেন সিভিল সার্ভিস পরীক্ষায়। দেশে ফিরে এসে বাদামি সাহেব হবেন। এই রকম একটা সময়ে কেশবচন্দ্র শিক্ষা প্রতিষ্ঠান পরিত্যাগ করলেন। পিতামহ রামকমল সেন নিজেই ছিলেন বিদ্যোৎসাহী।

পরিবার, পরিজনেরা এই বিপর্যয় ভুলে যেতে বিশেষ দেরি করলেন না। কিন্তু কেশবচন্দ্রের চিন্তাশীল মনে অবশ্যই কিছু ছাপ ফেলেছিল। বৈরাগ্যপ্রবণ পুরুষটি সাধারণ সংসার থেকে সরে দাঁড়াতে চাইলেন। চেষ্টা করতে লাগলেন, প্রকৃত জীবন গঠনের উপযোগী শিক্ষা তাঁকে গ্রহণ করতেই হবে।

কেশবচন্দ্রের অন্তর্লোক আলোড়িত হতে থাকল। সেকথা বাইরের কেউ তেমন বুঝতে পারলেন না। গণিত নিয়ে যখন সমস্যা তখন ওই বিষয়টিকে দূরে রাখাই ভালো। তিনি পড়তে শুরু করলেন কলেজ পাঠ্যতালিকার অন্যান্য সব বিষয়। নিজের রুচি অনুসারে লেখাপড়া শুরু করলেন। বিষয় হিসেবে গ্রহণ করলেন ইতিহাস, ন্যায়, দর্শন আর জীববিজ্ঞান। প্রতিদিন কলেজের গ্রন্থাগারে গিয়ে তিনি পড়তে বসতেন। বয়েসের চেয়েও গম্ভীর। আকৃতি প্রকৃতিতে একজন দার্শনিক। সহপাঠীরা সেইবয়স থেকেই তাঁকে সম্মান করতে লাগলেন। নানা দর্শন শুধু পাঠ

করলেন না, নিজের চিন্তাশক্তি অনুসারে বিচারও শুরু করলেন। এই সময় তাঁর জীবনে দুটি দিক স্পষ্ট হয়ে উঠল—পড়া এবং চিন্তা। দেখা গেল দর্শন শাস্ত্রের ওপর তাঁর অগাধ আকর্ষণ। দর্শনের অধ্যাপক জোন্স তাঁকে লক্ষ করতেন। ক্রমশই তাঁরা দুজনে কাছে সরে এলেন। শুরু হল জোন্স সাহেবের সাহায্য।

কেশবচন্দ্রের গাম্ভীর্যের আড়ালে ধীরে ধীরে বিকশিত হল তীব্র বৈরাগ্য। পরবর্তীকালে তিনি বলেছিলেন, 'অষ্টাদশ বৎসর বয়েসে অল্প অল্প ধর্মজীবনের সঞ্চার হয়।' প্রথম থেকেই তিনি একটি ভিন্ন সংস্কারের অধিকারী ছিলেন। কারণ চোদ্দো বছর বয়েসেই মাছ খাওয়া ত্যাগ করেছিলেন। পূর্বের জীবন এবং রুচি সবই পালটে গেল। শুধু আহার নয় বিহারেও পরিবর্তন। যাত্রা শুনতে ভালোবাসতেন। যাত্রার আসরে রাত কেটে যেত। সেই নেশা চলে গেল। তাঁর একটি বেহালা ছিল। মাঝে মাঝে বাজাতেন। একদিন সেটিকে সশব্দে ভেঙে চুরমার করে ফেলে দিলেন। ভাঙা বেহালাটি পড়ে রইল তাঁর পরিত্যক্ত সংস্কারের মতোই। দৃশ্যটি অতি করুণ। সকলে দেখলেন কিন্তু বললেন না কিছুই।

আঠারো থেকে কুড়ি-এর মধ্যে তাঁর ধর্মজীবন সম্পূর্ণ রূপে ফুটে উঠল। তীব্র বৈরাগ্য, সংসারের প্রতি ভীষণ একটা ভয়। তিনি মনে করতেন, সংসারই সমস্ত সর্বনাশের মূল। ওই সুখ, ওই শয্যা, নারী সঙ্গে মৃদ মৃদু প্রেমালাপ। আমোদ-প্রমোদ এসবই এক ভয়ঙ্কর প্রমাদ। এ এক ফাঁদ। এই চিন্তার মধ্যে কোথাও যেন শ্রীশ্রীচণ্ডীর সুর ভেসে বেড়াতে দেখা গেল। রাজা সুরথ আর বৈশ্য সমাধি সংসার থেকে বিতাড়িত হয়ে অরণ্যচারী। তাঁরা মেধামুনিকে জিজ্ঞাসা করছেন—সংসার আমাদের দুর করে দিয়েছে। তবু সেই বিশ্বাসঘাতক, নিষ্ঠুর সংসারকে মন থেকে আমরা কেন দূর করে দিতে পারছি না। মেধামুনি হাসতে হাসতে বললেন, একেই বলে 'মহামায়ার কুহক'। আষ্টেপৃষ্ঠে জড়িয়ে রাখাই মায়ার কাজ। জীবের চৈতন্য হরণ করে নির্বোধ অচৈতন্য জীবকে নিজের সৃষ্টির কাজে লাগান।

কেশবচন্দ্র সংসারের ঘনঘোর আবর্ত থেকে একটি কণ্ঠস্বর সদাই শুনতে আরম্ভ করলেন। সাবধান বাণী—'ওরে তুই সংসারী হস না, সংসারের নিকট মাথা বিক্রয় করিস না। কলঙ্ক, পাপ এ সকল ভারী

কথা, আপাতত আমোদ ছাড়, আমোদের সূত্র ধরেই অনেকে নরকে যায়।' কেশবচন্দ্র আমোদকে বললেন, 'তুই শয়তান, তুই পাপ।' বিলাসকে বললেন, 'তুই নরক, যে তোর আশ্রয় গ্রহণ করে সেই মৃত্যু-গ্রাসে পড়ে।' নিজের শরীরকে বললেন, 'তুই নরকের পথ, তোকে আমি শাসন করব, তুই মৃত্যুমুখে ফেলবি!'

এই সময় কেশবচন্দ্রের মনে হতে লাগল, তাঁর চারিদিকে থকথকে পাপ। হাসাটা পাপ, তুচ্ছ কথা পাপ, আত্মীয়পরিজন, বন্ধুবান্ধবদের সঙ্গে সামান্য কথা বলাটাও পাপ। সে সব বই পড়লে হাসি আসে সেইসব বই পড়াও পাপ। একটি মাত্র বইকে সঙ্গী করলেন। বইটির নাম—'Night Thoughts', লেখক হলেন Young। সংসার তখন তাঁর কাছে অরণ্য। বাড়ির লোকজন সব ভীষণ বন্যজন্তু। তাঁদের কলকোলাহল হিংস্র পশুর গর্জন। এই সংসারে থাকা মানেই অকালমৃত্যুর কাছে আত্মসমর্পণ। এ কী এক ধরনের মানসিক বিপর্যয়। কেশবচন্দ্র হাসেন না, প্রয়োজনের অতিরিক্ত একটিও কথা বলেন না, সদা বিষণ্ণ। শ্রীরামচন্দ্রের মনে, যৌবনে এই রকমই এক বিপর্যয় এসেছিল। ঋষিরা সামলেছিলেন। যুক্তি তর্ক দিয়ে শ্রীরামচন্দ্রকে বুঝিয়েছিলেন—এই সৃষ্টিকে তুমি যখন ঈশ্বরের বলে বিশ্বাস কর, তখন কেমন করে বল, কোথাও ঈশ্বর আছেন, কোথাও ঈশ্বর নেই। সমুদ্রের সর্বত্রই জল। সামুদ্রিক প্রাণীদের কি মনে হয় সমুদ্রের ভিতর এই জায়গাটায় সমুদ্র আছে, এই জায়গাটায় নেই। কেশবচন্দ্রকে এই যুক্তিটি দেবার মতো কোনও ঋষি সেই সময় ছিলেন না। সমস্যা সেই খানেই।

পরিবার পরিজনেরা এই সঙ্কট থেকে যুবক কেশবচন্দ্রকে রক্ষা করার জন্যে একটি ফিকির বের করলেন। কেশবের বিবাহ দাও। সর্বকালের সহজ সমাধান। শ্রীরামচন্দ্রের জীবনে নিয়ে এস সীতা। শ্রীরামকৃষ্ণের জীবনে আন জয়রামবাটীর কন্যা সারদাকে। কেশবচন্দ্রের জন্যেই পাত্রী নির্বাচিত করা হল বালিগ্রামের সুপ্রসিদ্ধ কুলীন বৈদ্যপরিবারের চন্দ্রকুমার মজুমদারের জ্যেষ্ঠা কন্যা। কেশবচন্দ্রের জ্যাঠামহাশয় হরিমোহন সেনের নির্বাচন। ধনী পরিবার। দুই ধনী পরিবারের মধ্যে বৈবাহিক সম্পর্ক রচিত হল। বিশাল ধুমধাম। সেকালের যেমন রীতি—নর্তকীরা নাচবেন, বাদ্যবাজনা হবে, পানভোজনের অঢেল ব্যবস্থা। বিবাহবাসরে বিমর্ষ কেশবচন্দ্র। সবই ঘটে চলেছে তাঁর জগতের বাইরে। সুন্দরীরা নেচে নেচে

ঘুরপাক খাচ্ছেন। কেশবচন্দ্র দেখছেন না। বড় লোকের বাড়ির বিয়ে, নিমন্ত্রিতরা সকলেই বড় মানুষ। দলে দলে ইতর মানুষ আসছেন ঘটার বিয়ে দেখতে।এত বাদ্য বাজনা, আলোর রোশনাই, নৃত্যগীত, পানভোজন, কলকোলাহল—কেশবচন্দ্র নীরব, বিমর্ষ। রাত হল ভোর। সেন আলয়ে পুত্র এলেন পুত্রবধূ নিয়ে। সর্বাধিক খুশি কেশবজননী সারদা। পুত্রবধূর কৃশ শরীর দেখে প্রথমে খুব দুঃখ পেলেন। তারপরে অবগুণ্ঠন সরিয়ে যখন মুখটি দেখলেন তখন আহ্লাদে আটখানা। আহা, কী সুন্দর মুখ।

বালির বড় ঘরের মেয়ে, ন বছর বয়স। তখনকার কালে স্বামী, স্ত্রীর বয়সে যথেষ্ট ব্যবধান থাকত। দ্বিরাগমনে কেশবচন্দ্র সস্ত্রীক শ্বশুরালয়ে চলেছেন। গঙ্গাবক্ষে নৌকাযোগে। কেশবচন্দ্রের স্ত্রী জগন্মোহিনী ও তাঁর পিতা একটি নৌকায়। যখন যাত্রা শুরু হয়েছিল তখন আবহাওয়া ছিল শান্ত। যদিও আকাশ ছিল মেঘলা। কলকাতার দিক থেকে নৌকো আসছে বালির দিকে। হঠাৎ উঠল প্রবল ঝড়। কেশবচন্দ্রের স্ত্রী যে নৌকায় ছিলেন সেটি বিপর্যস্ত হয়ে ডুবে যায় আর কি। বালিকাবধূ জলে পড়ে গেলেন। উত্তাল গঙ্গা, হাবুডুবু খাচ্ছেন। শের উঠল গেল গেল। হঠাৎ আর একটি নৌকা কোথা থেকে ছুটে এসে জলমগ্ন বালিকার প্রাণ রক্ষা করল। প্রচুর জল খেলেও প্রাণে বেঁচে গেলেন। পরবর্তীকালে বিজ্ঞমানুষরা ঘটনার এই ব্যাখ্যাই করেছিলেন—আর পাঁচটা ধনী বধূর মতো জগন্মোহিনীর জীবন যে হবে না এই ঘটনা তারই ইঙ্গিত। বিয়ের রাত থেকেই স্বামী কেশবচন্দ্রকে দেখে মনে হয়েছিল মানুষটি সহজ নন। পরবর্তীকালে সংসার জীবনে পদে পদে তার পরিচয় পাবেন।

সংসারকে মনে হয় পাপের আগার। বৈরাগ্যই জীবনের সুখ। বিবাহের প্রয়োজন ছিল না, তবু বিবাহ। মেনে নিতে না পারলেও শয্যায় নববধূ। শুরু হল কেশবচন্দ্রের দ্বিতীয় খেলা। যিনি পরবর্তীকালে নারীশিক্ষা, নারী স্বাধীনতার প্রবক্তা পুরুষ হবেন, বাল্যবিবাহের বিরোধিতা করবেন। বিবাহের বয়স নির্ধারণ করে দেওয়ার জন্য ইংরেজ সরকারকে চাপ দেবেন, তিনি বাধ্য হয়েছেন বালিকা বিবাহ করতে। শুরু হল স্ত্রীকে উপেক্ষা। কেশবচন্দ্র আবার বাণী শুনলেন, 'সংসারবিলাসে তুমি সুখলাভ করিবে? স্ত্রীর কাছে তুমি বসিয়া থাকিবে? সংসারের কথা লইয়া তুমি আলাপ করিবে? এ সকল বিষয় তোমাকে সুখী করিবে?' এই আকাশবাণী

শোনার পর কি হল! আবার প্রতিজ্ঞা। সেই প্রতিজ্ঞার ফল হল ভার্য্যা নিপীড়ন।

বৈরাগ্য এল কিন্তু সংসার ত্যাগ করলেন না। গৈরিক ধারণ করেননি। বাইরে থেকে দেখলে মনে হবে স্বাভাবিক, সাধারণ একজন মানুষ। কিন্তু ভেতরে চলতে লাগল কঠোরনীতির শাসন। পরবর্তীকালে সেই কারণেই দেখা যায় কেশবচন্দ্র নানা নীতি প্রণয়ন করছেন। যেন ধর্ম সংবিধান। বেশ কিছুকাল আগেই মূর্তিপূজা ইত্যাদি ত্যাগ করেছিলেন। তাঁর ধর্মে নড়াচড়া করতেন এক, একক ঈশ্বর। রাজা রামমোহন তেত্রিশ কোটি দেবতাকে একে নামিয়ে এনেছিলেন। উপনিষদের বাছা বাছা শ্লোক সংকলন করে তৈরি করেছিলেন প্রার্থনা পুস্তক। হিন্দু ধর্মে পূজাই বড়। যে ধর্ম রামমোহন রায় থেকে দেবেন্দ্রনাথ হয়ে কেশবচন্দ্রে আসবে—সেই ধর্মে প্রার্থনাই হবে প্রধান অঙ্গ। প্রার্থিত হবে আত্মজ্ঞান। এই প্রার্থনা পৌঁছে দেওয়া হবে যাঁর কাছে তিনি হলেন জগৎস্রষ্টা ঈশ্বর। তিনি সুন্দর, তাঁর অনেক ঐশ্বর্য, তাঁর অনেক ক্ষমতা। তিনি এক অনন্ত ব্রহ্ম। বেদান্তের ব্রহ্মের সঙ্গে তাঁর একটাই পার্থক্য তিনি সগুণ। এই ধর্মে কেশবচন্দ্র আসবেন, এখনও তিনি আসেননি। তিনি সাচ্চা হিন্দু রামকমল সেনের পৌত্র। জ্ঞান আসছে, কিন্তু পারিবারিক ধারায় তিনি একজন ভক্ত। এই সবই ধীরে ধীরে অন্যরকম হয়ে যাবে। প্রথমদিকে তিনি নীতিপ্রধান।

আত্মদৃষ্টি সম্পন্ন মানুষ। স্ব-আরোপিত নীতিশৃঙ্খলে আবদ্ধ। নিজেকে প্রার্থনা করতে শেখাচ্ছেন। ক্যাথলিকরাও প্রার্থনা করেন। এ সম্বন্ধে তিনি বলছেন, 'যখন কেহ সহায়তা করে নাই, যখন কোনো ধর্মসমাজে সভ্যরূপে প্রবিষ্ট হই নাই, ধর্মগুলি বিচার করিয়া কোনো একটি ধর্ম গ্রহণ করি নাই, সাধু বা সাধক শ্রেণীতে যাই নাই, ধর্মজীবনের সেই ঊষাকালে 'প্রার্থনা কর, প্রার্থনা কর' এই ভাবে এই শব্দ হৃদয়ের ভিতর উত্থিত হইল। ধর্ম কি জানি না, ধর্ম্মসমাজ কোথায় কেহ দেখায় নাই, গুরু কে, কেহ বলিয়া দেয় নাই, সঙ্কট বিপদের পথে সঙ্গে লইতে কেহ অগ্রসর হয় নাই, জীবনের সেই সময়ে আলোকের প্রথমাভাসস্বরূপ 'প্রার্থনা কর, প্রার্থনা ভিন্ন গতি নাই', এই শব্দ উচ্চারিত হইত।'

তিনি দুটি প্রার্থনা তৈরি করলেন। একটি সকালের আর একটি

বিকালের। এই প্রার্থনাময় জীবনে তিনি অদৃশ্য সেই শক্তির ওপর সম্পূর্ণ নির্ভর করতেন। যেমন কি করতে হবে, কোথায় যেতে হবে, কার সঙ্গে কি রকম সম্পর্ক রাখতে হবে—এ সবেরই উত্তর আসবে। তিনি বিশ্বাস করতেন, আদেশ আসবেই। পরবর্তীকালে তাঁর ধর্ম এইভাবেই আদেশবাদে পরিণত হবে। এতটাই আন্তরিক ছিল তাঁর প্রার্থনা যে উত্তরের অপেক্ষায় ধৈর্য ধরে বসে থাকতেন। প্রার্থিতকে জিজ্ঞেস করতেন—আমার প্রার্থনা ঠিক হয়েছে তো? এরও উত্তর আসত। সন্দেহ, অবিশ্বাস, পাপ, প্রলোভন—সবই এই প্রার্থনা কালেই তিনি প্রকাশ করতেন। নিজেকে মেলে দিতেন। অবশেষে প্রার্থনাই হয়েছিল তাঁর চিরসম্বল। ঈশ্বরকে জিজ্ঞাসা না করে, আদিষ্ট না হয়ে কোনও কাজ করতেন না। সকলকেই বলতেন প্রার্থনা কর। যারা করত তাদের তিনি ভালোবাসতেন। যারা উপেক্ষা করত তাদের দূরে রাখতেন।

এই যখন চলছে তখন কেশবের অন্তরে উদিত হল সমাজ ভাবনা, লোকচেতনা। মানুষ ধীরে ধীরে আত্মবিস্মৃত হয়ে, অমৃতত্ত্ব হারিয়ে ফেলছে। পরিণত হচ্ছে সংসারের কীটে। এদের উদ্ধারের কথা কে ভাবে! কেশবচন্দ্র এইবার বৃহত্তর ভূমিকায় অবতীর্ণ হবার চেষ্টা করতেন। খণ্ড খণ্ড কাগজে লিখলেন, বাণী। সংসারের দাস তোমরা, মুক্তি খোঁজ। সংসার যাঁতায় গমের মতো পিষ্ট হয়ে নিঃশেষ হয়ে যেও না। কারাগার থেকে বেরিয়ে এস। পরিবার মানে দাসত্ব। পারিবারিক জীবন সোনার শৃঙ্খল। সমস্ত স্বাধীনতা হরণ করে তিল তিল করে হত্যা করে। মুক্ত হও। শহরের এ পাশের ও পাশের দেওয়ালে লেগে গেল হাতে লেখা পোস্টার। কে লাগায়, কখন লাগায়, কেউ জানে না।

কিছুদিন পরে কেশবচন্দ্রের কানে এল তাঁর এক আত্মীয় হাসতে হাসতে তো বলছেন—কত রকমের পাগল যে আছে! ঘরের খেয়ে বনের মোষ তাড়ানো। আবোল তাবোল লিখে দেওয়ালে সেঁটে দিয়ে সময় নষ্ট করছে। মাথা খারাপ হয়ে গেলে কি আর করবে! কেশবচন্দ্র সঙ্গে সঙ্গে বুঝে গেলেন যত উপদেশই দাও, বদ্ধ জীবকে মুক্ত করা অসম্ভব। তখন তিনি অন্য পথ ধরলেন। তিনি নিজে যুবক। একটি যুব সংগঠন তৈরি করা হয়তো অসম্ভব নয়। এই রকমই একটি সংগঠন তৈরি করার উদ্দেশ্যে

শহরের কয়েকজন উদার মিশনারির সঙ্গে যোগাযোগ স্থাপন করলেন। একজন হলেন বিশপ কটন সাহেবের চ্যাপলেন টি এইচ বরন, আর একজন চার্চ মিশনারি সোসাইটির পাদ্রি জে লঙ। আমেরিকার ইউনিটারিয়ান মিশনের সি এইচ ডল। স্থাপিত হল ব্রিটিশ ইন্ডিয়ান সোসাইটি। উদ্দেশ্য সাহিত্য ও বিজ্ঞান চর্চা। সময় সময় ধর্ম প্রসঙ্গও হত। লঙ সাহেব ও ডল সাহেবের ডিবেট খুবই আকর্ষণীয় ছিল। যেহেতু সাহিত্যচর্চা এই সোসাইটির অন্যতম একটি অ্যাজেন্ডা সেইহেতু অ্যাডিসন প্রভৃতি গ্রন্থও পাঠ করা হত। যে সমস্ত রচনা এখানে জমা পড়ত তা পাঠিয়ে দেওয়া হত কেশবচন্দ্র সেনের জ্যেষ্ঠ ভ্রাতা নবীন চন্দ্র সেনের বিচারের জন্যে।

এই নবীনচন্দ্র সেন একজন বিখ্যাত ব্যক্তি। শান্ত স্বভাব, হিন্দু কলেজের ছাত্র ছিলেন। হিন্দু কলেজের যুবকরা সেইকালে যথেষ্ট চরিত্রবান ছিলেন না। নবীনচন্দ্র ছিলেন বিশুদ্ধ চরিত্রের মানুষ। ঘরের বাইরে কদাচিৎ যেতেন। উদ্দেশ্য সহপাঠী, বন্ধুবান্ধবরা যাতে দলে টানতে না পারে। বড় লোকের ছেলে কিন্তু বেশভূষা দেখে বোঝার উপায় থাকত না। আহার বিহারে অতি সাধারণ। এঁর নীতি ছিল অদ্ভুত। ব্রাহ্মসমাজ প্রতিষ্ঠিত হওয়ার পর সাধারণ প্রার্থনায় কখনও যোগ দিতেন না। কারণ? তিনি বলতেন, একবার ঈশ্বরের কাছে যদি এই প্রার্থনা করি, যা সাধারণত করা হয়—'অসত্য হইতে সত্যেতে লইয়া যাও' তাহলে ব্যাপারটা এই দাঁড়াল, না জেনে, অসাবধানে অসত্যের সংশ্রবে এলে নীতিভ্রষ্ট হতে হয়।

ব্রাহ্ম সমাজের এই প্রার্থনাটি সমবেত প্রার্থনা—'অসত্য হইতে আমাদিগকে সত্যেতে লইয়া যাও, অন্ধকার হইতে আমাদিগকে জ্যোতিতে লইয়া যাও, মৃত্যু হইতে আমাদিগকে অমৃততে লইয়া যাও। হে সত্যস্বরূপ, আমাদিগের নিকট প্রকাশিত হও। দয়াময়, তোমার যে অপার করুণা, তাহা দ্বারা আমাদিগকে সর্ব্বদা রক্ষা কর।' এই প্রার্থনা বৃহদারণ্যক উপনিষদের—'অসতো মা সদগময়, তমসো মা জ্যোতির্গময়, মৃত্যোর্মাংমৃতং গময়। আবিরাবির্ম্মএধি। রুদ্র যত্তে দক্ষিণং মুখং তেন মাং পাহি নিত্যম্।' প্রার্থনা হইতে সামান্য পরিবর্তন সহকারে গৃহীত ; অর্থাৎ সমবেত প্রার্থনা বলিয়া 'আমাকে' স্থলে 'আমাদিগকে' গ্রহণ করা হইয়াছে।

ব্রিটিশ ইন্ডিয়ান সোসাইটি তত্ত্বাবধানে যাঁরা লেখাপড়া করতেন তাঁরা কি পড়বেন ঠিক করে দিতেন নবীনচন্দ্র সেন। এরই পরিণতি ১৮৫৫ সালে কলুটোলায় স্থাপিত হল 'ইভনিং স্কুল'। এখানে শহরের অনেক যুবক পড়তেন। কেশবচন্দ্র ও তাঁর বন্ধুবর্গ শিক্ষকতার দায়িত্ব গ্রহণ করেছিলেন। কেশবচন্দ্র মাঝে মাঝে ধর্মোপদেশও দিতেন। একদিকে হিন্দু কলেজের যুবকদের মধ্যে এক ধরনের স্বৈরাচার যখন প্রকটিত হয়ে উঠছে, যখন এইরকম মনে করা হচ্ছে মদ্যপান করাটাই সভ্যতার চরম মাপকাঠি, তখন এই ইভনিং স্কুল যেন একটি প্রতিরোধ।

এই সময় থেকেই শুরু হল নাটক অভিনয়। অবশ্যই শেক্সপিয়রের নাটক থেকে গৃহীত বাংলা নাটক। ক্যাপ্টেন ডি এল রিচার্ডসন, একজন সুপ্রসিদ্ধ শেক্সপিয়র বিশেষজ্ঞ ছিলেন। তাঁর কাছেই ছেলেরা শেক্সপিয়র পড়তেন। কেশবচন্দ্র শুধু পড়েই সন্তুষ্ট থাকার মানুষ নন। তিনি অভিনয়ের উদ্যোগ করলেন। প্রথম নাটক হ্যামলেট, ইংরেজিতে। কেশবচন্দ্র নিলেন হ্যামলেটের ভূমিকা।

সাহিত্য, নাটক যা হবার হোক। কেশবচন্দ্রের ভেতরে ছটফট করে উঠল ঈশ্বর চিন্তা। পাঁচ-ছজন বন্ধুকে নিয়ে শুরু করলেন উপাসনা সভা। সে এক অদ্ভুত আয়োজন। ঘর নিশ্ছিদ্র অন্ধকার, দরজা, জানলা সব বন্ধ। সকলেরই মন এক ঈশ্বরমুখী। ঈশ্বরের উপস্থিতি অনুভব করার একান্ত চেষ্টা। সকলেই ধীর, স্থির, শান্ত মূর্তি। সময় কোথা দিয়ে কোথায় চলে যেতে থাকল। সে এক অদ্ভুত তন্ময়তা। এই সভাই পরবর্তীকালে, ১৮৫৭ সালে 'গুডউইল ফ্রেটার্নিটি' নাম পরিগ্রহণ করল। ইভনিং স্কুলটি তিন চার বছর টানা চলার পর বন্ধ হয়ে যায়। স্থান দখল করল এই গুডউইল সভা। এটি পুরোপুরি ধর্মসভা। এখানে কেশবচন্দ্র ধর্মগ্রন্থ পাঠ করতেন। ইংরেজিতে উপদেশ দিতেন। উদার ধর্মমতের কথাই বলতেন। বলতেন, ঈশ্বর পিতা, প্রত্যেক মানুষ ভ্রাতা। তাঁর নিজের জীবনের বৈরাগ্য, বিশুদ্ধ জীবন ও উৎসাহ শ্রোতাদের মনে দাগ কাটার পক্ষে যথেষ্ট ছিল। এই সভা একদিন দর্শন করার জন্যে ব্রাহ্ম সমাজের প্রধান আচার্য সপার্ষদ এসেছিলেন। সে এক মহা উৎসাহের দিন।

ব্রাহ্ম সমাজ। ১৮৫৭ সালে কেশবচন্দ্র সিদ্ধান্ত নিলেন, তিনি ব্রাহ্ম সমাজে প্রবেশ করবেন। তিনি হিন্দুধর্মের স্তবক থেকে চলে যাবেন ব্রাহ্ম ধারায়। অনুশীলন করবেন ব্রহ্মের। কাজটি কিন্তু গোপনে করতে হবে। গোপনেই প্রতিজ্ঞাপত্র পাঠিয়ে দিলেন। তিনি নিজে বাংলা ভালো লিখতে পারতেন না। তেমন চর্চাও ছিল না। কলুটোলার পণ্ডিত রাজবল্লভকে দিয়ে প্রতিজ্ঞাপত্রটি লিখিয়ে নিলেন। এই রকম করার কারণ? কিছুদিন আগে ছোট্ট একটি বই—যার টাইটেল হল 'ব্রাহ্মধর্ম কি?' তাঁর হাতে আসে। বইটি ঋষি রাজনারায়ণ বসুর মুদ্রিত একটি ভাষণ। বইটি পড়ে কেশবচন্দ্র শুধু উৎসাহিত নন, আবিষ্কার করলেন, তাঁর এতদিনের বিশ্বাস ও জীবনচর্যারই যেন প্রতিধ্বনি। ব্রাহ্মসমাজেই তাঁর স্থান। এইরকম একটা আবেগ তাঁর মধ্যে সঞ্চারিত হল।

অনেকদিন থেকেই কেশবচন্দ্র প্রার্থনায় অভ্যস্ত। সমস্ত নির্দেশের জন্যে ঈশ্বরেরই অপেক্ষা করেন। ব্রাহ্মসমাজের ধারাও অনেকটা সেইরকম। কিন্তু একটা অভাব তিনি প্রায়ই বোধ করতেন। অদৃশ্য ঈশ্বর, কোনো সুদূরে তাঁর অধিষ্ঠান, প্রার্থনায় তিনি সাড়া দেন কী না সেকথা তাঁর মনই বলে। এমনও তো হতে পারে—নিজের প্রার্থনার উত্তর নিজেই দিচ্ছেন। কোথাও এমন কোনও বিজ্ঞধার্মিক মানুষ অথবা ধর্মমণ্ডলী খুঁজে পেলেন না, যেখানে গেলে তাঁর সমস্ত সংশয় দূর হতে পারে। ওই পুস্তিকাটি পড়ে তিনি উৎসাহিত হলেন। এতদিনে একটি ধর্মমণ্ডলী পাওয়া গেছে।

কেশবচন্দ্র যখন প্রতিজ্ঞাপত্রটি জমা দিলেন তখন প্রধান আচার্য মহর্ষি দেবেন্দ্রনাথ রয়েছেন হিমালয়ে। কলকাতায় নেমে এসে মহর্ষি প্রতিজ্ঞাপত্রটি দেখে ভীষণ খুশি হলেন। কলকাতার এতবড় একটি পরিবারের উজ্জ্বল এক যুবক ব্রাহ্মসমাজে যোগ দিয়েছেন। এর চেয়ে আনন্দের কথা আর কি হতে পারে! মহর্ষির দ্বিতীয় পুত্র সত্যেন্দ্রনাথ ঠাকুর কেশবচন্দ্রের সঙ্গে হিন্দু কলেজে পড়েছেন। সত্যেন্দ্রনাথের সঙ্গে কেশবচন্দ্রের যথেষ্ট আলাপ

ছিল। সত্যেন্দ্রনাথের মাধ্যমেই কেশবচন্দ্র সময়ে সময়ে মহর্ষির কাছে তাঁর আধ্যাত্মিক প্রশ্নটি পাঠাতেন। ক্রমেই মহর্ষির সঙ্গে তাঁর পরিচয়ও হল আর সেই সূত্রেই দেবেন্দ্রনাথ একবার গুডউইল ফ্রেটার্নিটি সভায় সপার্ষদ এসেছিলেন। সত্যেন্দ্রনাথ অবশ্য ধরাছোঁয়ার বাইরে চলে যাবেন। প্রথম আই সি এস।

ব্রাহ্মসমাজের কথায় আসার আগে রাজা রামমোহন সম্পর্কে বিলেত থেকে ডাক্তার উইলসন কেশবচন্দ্রের পিতামহ রামকমল সেনকে কি লিখেছিলেন তা অনুধাবন করা যেতে পারে। একটি চিঠিতে উইলসন লিখছেন (২৭ জুন, ১৮৩৩), 'আমি এখনও দেখা পাইনি এবং তিনি কি নিয়ে আছেন তাও জানি না। লন্ডন শহর একটি মস্ত বড় জায়গা। এখানে রাতদিন হইচই আর সকলে সবসময় আপন আপন কাজে এমনই ব্যস্ত যে, এখানে হঠাৎ একলা গিয়ে পড়লে নিজেকে বড় তুচ্ছ, অসহায় বোধ হয়।' উইলসন সাহেবের সঙ্গে রাজার দেখা হল না।

২১ ডিসেম্বর, ১৮৩৩ সালের একটি চিঠিতে উইলসন সেই দুঃখের খবর লিখছেন—'আগের চিঠিতে আমি রামমোহন রায়ের মৃত্যু সম্পর্কে লিখেছি। তারপর হেয়ার সাহেবের ভাই-এর সঙ্গে আমার এ বিষয়ে কিছু আলোচনা হয়েছে। জ্বরবিকারে রামমোহন রায় দেহত্যাগ করেছেন। ইদানীং তাঁর স্বাস্থ্য ভালোই দেখা গিয়েছিল। মস্তিষ্কের রোগ নির্ণয়ের জন্যে কোনো চিকিৎসা হয়নি। আমার মনে হয় যকৃতের গোলমালই তাঁর মৃত্যুর কারণ। অবশ্য মানসিক পরিশ্রমও তাঁর রোগ অনেক বাড়িয়ে দিয়েছিল। অর্থ সংকটও তাঁর কম হয়নি। বন্ধুবান্ধবের কাছে প্রায়ই তাঁকে হাত পাততে হত। এতে তাঁর অবস্থা সম্বন্ধে খানিকটা লোক জানাজানিও হয়ে গিয়েছিল। ইংলন্ডের লোকেরা এ সব বিষয়ে খুবই সচেতন। তাঁর সেক্রেটারি স্ট্যানফোর্ড আনটি সাহেব তাঁর বাকি মাহিনার জন্যেও তাঁকে পীড়াপীড়ি করতে থাকেন এবং এমন ভয়ও দেখান যে, তাঁর বাকি মাহিনা না দিলে রামমোহন রায়ের লেখা পাণ্ডুলিপিগুলি তিনি তাঁর নিজের বলেই দাবি করবেন। এবং সত্যসত্যই এই দাবি রামমোহনের মৃত্যুর পর তিনি করেছেন। আসল কথা "এই যে, রামমোহন রায় এমন কতকগুলি লোককে তাঁর সহকারীরূপে নিয়েছিলেন, যাদের কোনো নীতিজ্ঞান নেই,

যাদের মন সংকীর্ণ এবং যারা অভাবগ্রস্ত। বহু দেরিতেই রামমোহন তাদের চিনতে পেরেছিলেন। কিন্তু তখন আর উপায় ছিল না। এইসব কারণে নানা দুশ্চিন্তায় তাঁর স্বাস্থ্যহানি ঘটেছিল। দোষ তাঁর যাই থাক, তিনি যে অসাধারণ ব্যক্তি ছিলেন তাতে কোনো সন্দেহ নাই তিনি তাঁর দেশের গর্ব।”

কেশবচন্দ্র ব্রাহ্মসমাজে প্রবেশ করলেন। রাজা রামমোহন রায়ের উদয় ও অস্তকালের মধ্যে সময়ের ব্যবধান খুবই সামান্য। জীবিত থাকলে দেশের ধর্ম ও শিক্ষা আন্দোলন অবশ্যই অন্যধারায় প্রবাহিত হত। প্রিন্স দ্বারকানাথ ও রামমোহন জীবনের উইকেট হেলায় ছুঁড়ে ফেলে দিয়ে বাড়ি চলে গেলেন। ক্রিজ খালি। গ্যালারিতে দর্শকরা কালের কাউন্টার থেকে টিকিট কেটে বসেই থাকলেন। পাদ্রীদের উৎপাত ক্রমশই প্রবল হল। ডাক্তার ডফ, ভীষণ অ্যাকটিভ। তিনি একের পর এক উজ্জ্বল বাঙালি যুবকদের খ্রিস্টান করেছেন। আসলে তিনি একজন শিক্ষক। বিজ্ঞানমনস্ক মানুষ। তার সঙ্গে ঢোকালেন ধর্ম ও নীতি। আধুনিক বঙ্গযুবকদের এই প্রয়াস খুব পছন্দ হল। গামছা কাঁধে হিন্দু পুরোহিতদের সহ্য করা যাচ্ছিল না। হিন্দুধর্মের প্রকৃত স্বরূপটা কি তা ক্রমশই চাপা পড়ে যাচ্ছিল পাঁজির অন্তরালে। শ্রাদ্ধ, মস্তক মুণ্ডন, প্রায়শ্চিত্ত, কোষাকুষি, গঙ্গাজল, বেলপাতা, তুলসীপাতা, শিবলিঙ্গ, বাঁকা শ্যাম, অসিধারী মা কালী, দশভুজা দুর্গা। মহিষাসুরের হামাগুড়ি—হিন্দু কলেজের ছেলেদের একেবারে অপছন্দ। রাজনারায়ণ রাতের বেলায় পিতার সঙ্গে হুইস্কি খান। মহর্ষি এই কলকাতায় তো এই হিমালয়ে। ঊনবিংশ শতাব্দীর খেলা বেশ জমে উঠেছে। যাঁরা সামাল দেবেন তাঁরা এখনও আসেননি। প্রাণপুরুষ আসবেন কামারপুকুর থেকে। আর নেতা আসবেন সিমুলিয়া থেকে। রামকমল ডিরোজিওকে দাবাতে পারলেও, ডিরোজিয়ানদের দাপট তখনও কমেনি।

ঘটনাটি এই ঘটল, হিন্দু কলেজের আন্দোলনে কুসংস্কার কিছুটা মোচড়াল, কিন্তু ভাঙল না। সেইসব যুবকরা বিদায় মন্ত্রটা জানতেন। আবাহন মন্ত্রটি শেখেননি। অনেকটা অভিমন্যুর মতো। ব্যূহে প্রবেশ করতে পারলেন কিন্তু বেরতে পারলেন না। যার ফলে তাঁদের অবলুপ্তিও

যথেষ্ট দ্রুত হল। তাঁরা ছিলেন কিছুটা সহজিয়া, আধুনিকতা বলতে বুঝতেন যথেচ্ছ পানভোজন, সমস্ত প্রকার নীতি-বিসর্জন। সে যুগের এক প্রত্যক্ষদর্শী ঊনবিংশ শতাব্দীর এই যুগলক্ষণ বর্ণনা করে গেছেন—'অখাদ্য গোমাংস হস্তে ধারণ করিয়া প্রকাশ্যস্থলে দাঁড়াইয়া পথিক লোকদিগকে ডাকিয়া বলা, এই দেখ আমরা গোমাংস ভোজন করিতেছি, ইহাই এই ক্ষুদ্র যুবকমণ্ডলীর নীতিমত্তা ও সাহসিকতা প্রদর্শনের প্রণালী ছিল। এই যুবক দলের একজন খ্যাতনামা শ্রীযুক্ত কৃষ্ণমোহন বন্দ্যোপাধ্যায় যুবকবৃন্দসহ গোমাংস ভোজন করিয়া পিতৃভবন হইতে নির্বাসিত হন, এবং পরিশেষে খ্রিস্টধর্মের আশ্রয় গ্রহণ করেন। মাংস ভোজনের সহচর মদ্যপান প্রায় সকল ছাত্রেরই অভ্যস্ত হইয়া পড়িয়াছিল।'

যুব সমাজের একটি অংশ যখন এই ধরনের উন্মত্ততা প্রকাশ করছেন, যত্রতত্র প্রাচীনপন্থীদের টিকি ধরে নাড়ছেন, পুরোহিতদের কাছা খুলে দিয়ে বিদ্রোহ প্রকাশ করছেন, অভিভাবকদের সঙ্গে সম্পর্ক বিষাক্ত। ঠিক সেই সময় এই ঐতিহাসিক সাক্ষাৎকার—জোড়াসাঁকোর বাড়িতে কেশবচন্দ্র মহর্ষি দেবেন্দ্রনাথের সঙ্গে দেখা করতে চলেছেন। মহর্ষি তাঁকে সাদর অভ্যর্থনা জানাবার জন্য যাবতীয় আয়োজন করেছেন। তার মধ্যে আয়োজিত হয়েছে একটি ভোজসভা। যথাসময়ে কেশবচন্দ্র এলেন। প্রথমে হল ধর্মপ্রসঙ্গ। ঠাকুরবাড়ির সুন্দর ঘর, নানারকম আসবাবপত্রে সুসজ্জিত, বাছাবাছা ব্যক্তিরা উপস্থিত রয়েছেন। মহর্ষি তাঁর ধর্মমত, তাঁর দর্শন, তাঁর উপনিষদভিত্তিক নতুন ধর্মের রূপরেখা কেশবচন্দ্রের সামনে তুলে ধরছেন। এই পথে কেশবচন্দ্রও তাঁর একক প্রচেষ্টায় বেশ কিছুদূর এগিয়েছেন। সুন্দর আলোচনায় দীর্ঘ সময়ে অতিবাহিত হওয়ার পর মহর্ষি তাঁর তরুণ ধর্মসঙ্গীকে ভোজনকক্ষে নিয়ে গেলেন। সেখানে আসন গ্রহণ করে কেশবচন্দ্র দেখলেন সমস্ত ভোজ্যসামগ্রী তাঁর গ্রহণের অযোগ্য। মাংসেরই বিভিন্ন পদ পরিবেশন করা হয়েছে। কেশবচন্দ্র হাত গুটিয়ে বসে রইলেন। দেবেন্দ্রনাথ অতিশয় বিব্রত। তিনি অবাক এই কারণে—হিন্দু কলেজের এক যুবক ছাত্র মাংস আহার করেন না। এ তো ভাবাই যায় না। হিন্দু কলেজের মেনুই তো মদ্য আর মাংস। আজকে তাঁর এক নতুন অভিজ্ঞতা হল। দেবেন্দ্রনাথ শুধু মাংসেরই নানা পদ রাখেননি সঙ্গে সুরার

ব্যবস্থাও ছিল। ঠাকুরবাড়িতে বহু বিশিষ্ট ব্যক্তি আসেন, প্রিন্স দ্বারকানাথের আমল থেকেই ভোজসভায় মদ্য আর মাংসের ঢালাও ব্যবস্থা থাকে।

কেশবচন্দ্র আমিষ গ্রহণ করেন না, এ তাঁর জানা ছিল না। দেবেন্দ্রনাথ বিব্রত হলেন। সঙ্গে সঙ্গে অন্য ব্যবস্থার জন্যে হাঁকাহাঁকি শুরু করলেন। কেশবচন্দ্রের জন্যে অন্যরকমের কিছু ভাজাভুজি আনতে বললেন। ইতিমধ্যে ব্রাহ্মসমাজের অন্যান্য আচার্য ও উপাচার্যরা খাওয়া শুরু করে দিয়েছেন। মাংসে তাঁদের কোনও আপত্তি নেই, বরং অতিশয় রুচি। আবার রান্না যখন হয়েছে ঠাকুরবাড়ির রান্নাঘরে, যেখানে সব রকমের প্রতিভার সমাবেশ। তাঁরা খাচ্ছেন, কেশবচন্দ্র বসে আছেন। মহর্ষি দেবেন্দ্রনাথ বুঝে গেছেন অনতিদূরে কলুটোলার সেন পরিবারের ধর্মসংস্কৃতিটা কি!

সেই রাতেই কেশবচন্দ্রের প্রতি দেবেন্দ্রনাথের শ্রদ্ধা শতগুণ বেড়ে গেল। আজ তাঁর গৃহে কলকাতা শহরের এমন এক যুবক এসেছে, যার চরিত্রের দৃঢ়তা, শুদ্ধতা এবং বৈরাগ্য উদাহরণ বিশেষ। এই গুণের কাছে সেই রাতে অন্যরা যেন ম্লান হয়ে গেলেন। হয়তো সামান্য একটি ঘটনা। খাদ্যাভ্যাস ভিন্ন হতেই পারে কিন্তু পরমপিতা দেবেন্দ্রনাথ তাঁর গভীর দৃষ্টি দিয়ে অন্যকিছু দেখলেন। কেশবচন্দ্রের ভবিষ্যৎ গঠনটিও হয়তো ধরা পড়ল।

এই সময় ডিরোজিও সম্পর্কে অনেক সত্য-মিথ্যা গুজব শহরে ছড়াচ্ছিল। এর পেছনে প্রাচীনপন্থীদের অপপ্রচার থাকাও অসম্ভব নয়। আধুনিক যুবকরা পাশ্চাত্য শিক্ষায় শিক্ষিত হয়ে ইওরোপীয়দের সমকক্ষ হবে, বিজ্ঞানমনস্ক যুক্তিবাদী হবে, কুসংস্কারমুক্ত হবে—এতে কার আপত্তি থাকতে পারে। কিন্তু তারা যদি নীতিভ্রষ্ট হয়, চরিত্রের অ-আ-ক-খ মানতে না চায়, তাহলে তো ভয়ের কথা। ডিরোজিও নাকি এমন কথাও বলেছিলেন—ভাই বোনে বিবাহও হতে পারে। কাকে বলেছিলেন, কবে বলেছিলেন—সাক্ষ্যপ্রমাণ হয়তো পাওয়া যাবে না, তবে তাঁর বিরুদ্ধে এটি একটি কুৎসা। সেই সময় এমনও বলা হত, ডিরোজিওর এক সুন্দরী বোন ছিলেন যুবকদের আকর্ষণের কেন্দ্র। সে যা-ই হোক, আধুনিক যুবকদের পারিবারিক চিত্র খুবই করুণ হয়ে দাঁড়াল। গৃহদেবতা পূজা পান

না, বৃদ্ধ আর বৃদ্ধারা ঠাকুরঘর জাগিয়ে রাখেন। আধুনিকারা স্থূল জীবন নিয়েই ব্যস্ত। হিন্দুগৃহের এতকালের স্নিগ্ধ কাঠামোটাই বুঝি ভেঙে পড়ে। এইসব যুবকদের একটিই কথা—ধর্মই বা কি! আর ঈশ্বরই বা কি! ওই সত্যনারায়ণ, পুরাণ, রামায়ণ, মহাভারত, গঙ্গার জল, গঙ্গামাটি, গোবর—এইসব নিয়ে বুড়োবুড়িরা থাকে থাকুক, ওদিকে কাশী, বৃন্দাবন তো রয়েইছে। এস আমরা এখন হুইস্কি খেয়ে কোমর জড়িয়ে বল নাচ নাচি। আর নিষিদ্ধ মাংসের স্বাদ গ্রহণ করি। আমরা সব সাহেব।

দেহ থাকলে অসুখ। সমাজ থাকলে সেইরকম নানা ঘাতপ্রতিঘাত। তাকেও বলা চলে সামাজিক ব্যাধি। সময় চলতে চলতে জায়গায় জায়গায় ধাক্কা খায়। মানুষই সময়। কিছু মানুষ কিছু মানুষকে প্রভাবিত করে। নানা ধরনের মতবাদ তৈরি হয়, নানা বাদ, বিবাদ। সেই সময় হিন্দুসমাজও জটিল সময়-সন্ধিতে দাঁড়িয়েছিল। একদিকে বিদেশি প্রভাব, অন্যদিকে রক্ষণশীল হিন্দু সমাজের প্রতিরোধ। এতকাল এদেশে ছিল—হিন্দু আর মুসলমান। মন্দির আর মসজিদ। সমুদ্র যাদের নিয়ে এল তাদের ধর্ম হল খ্রিস্টধর্ম। যাদের একজন দেবতা—যিশু। ধর্মগ্রন্থ বাইবেল। হিন্দুদের বেদ, পুরাণ, লৌকিক দেবতা, ব্রতকথা। মুসলমানদের প্রভাবে সত্যনারায়ণ সিন্নি। বণিকদের কোনও পাকাপাকি আস্তানা ছিল না। তারা সব পরিযায়ী পাখি। আসে আর যায়। ভিন্ন পোশাক, ভিন্ন খাদ্য, ভিন্ন ভাষা। নদীর ধারে ধারে বাস। এরা সবাই বন্দরপ্রাণী। পলাশির যুদ্ধের পর ইংরেজরা বুঝে গেল এদেশটা এখন কিছুকালের জন্য তাদের। সেইভাবেই আট ঘাট বেঁধে কাজ শুরু করে দিল। ধর্মের দ্বারা দেশ দখল—এ কৌশলটা তারা বেশ আয়ত্ত করে ফেলেছিল। বাইবেল আর বন্দুক। এদেশে প্রথমে ধর্মযাজকদের আসতে দেওয়া হয়নি। ইস্ট ইন্ডিয়া কোম্পানি যখন কুইনের শাসনে পরিণত হল, তখন এসে গেলেন ধর্মযাজকরা। স্থায়ী দুর্গের সঙ্গে স্থায়ী গির্জাও তৈরি হল।

গবেষকরা একটি কথাই বলছেন—আধুনিক বঙ্গ যুবকরা যখন নীতিভ্রষ্ট, নাস্তিক, আর ধনীরা যখন বেওয়ারিশ চরিত্রহীনতায় ভাসছেন, তখন এই ধর্মযাজকদের আগমন হল শাপে বর। তাঁরা নীতিনিষ্ঠার কথা বলতেন। পাপের কথা বলতেন। হেভেন আর হেলের কথা বলতেন।

এমন কথাও বলতেন, হিন্দু ধর্ম হল নরকের ধর্ম। আর যিশুর ধর্ম হল স্বর্গের ধর্ম। 'দলে দলে আইস, প্রভুর চরণে সমবেত হও। তিনি তোমাদের পাপ হইতে উদ্ধার করিবেন।' হিন্দু সমাজের সেইকালের বর্বরতা অস্বীকার করার উপায় নেই। যাঁরা ব্রাহ্মণ নন তাঁদের হাতের জল পর্যন্ত খাওয়া চলে না। আর যাঁরা আরও নীচের তলার তাঁদের গ্রামে থাকাও চলবে না। পল্লীর বাইরের ঝুপড়িতে থাকতে হবে। আর যতকিছু হীন কাজ এই মানুষদের দিয়ে করান হবে।

ধর্মযাজকরা বললেন, খ্রিস্টান হও, তাহলেই তোমরা উন্নত মানুষ হবে। লেখাপড়া শিখবে। সরকারি ব্যবস্থায় ভালো চাকরি পাবে। এমনকী বিদেশ যাওয়াও অসম্ভব নয়। সকলেই খ্রিস্টান হতে শুরু করলেন। তারপর তাঁদের মাথা খারাপ হয়ে গেল। ফিরিঙ্গি পোশাক, বুট জুতো, খটমট করে হাঁটা আর গর্ব করে বলা—আমাদের ভাষা বাংলা নয়। সেই সময় তাঁরা বাংলা বলতেন সাহেবরা যেভাবে বলেন সেইভাবে। বাইবেলের বাংলা অনুবাদে যে বাংলা সেই অদ্ভুত বাংলায় তাঁরা লিখতেন, কথা বলতেন। এ এক অদ্ভুত ব্যাপার, ফিরিঙ্গি সভ্যতা। এঁরা আবার হিন্দুদের সবচেয়ে বেশি ঘৃণা করতেন। এঁদের জন্য তৈরি হল ব্যারাক। সেইখানেই এঁরা থাকতেন, একে বলা যেতে পারে 'ঘোটাল'।

সুস্থ, চিন্তাশীল বরেণ্য হিন্দুরা ভীষণ চিন্তিত হলেন। স্বাধীনতা তো গেছেই, এখন জাতিটাই না চলে যায়। এর বিরুদ্ধে প্রথমে যিনি রুখে দাঁড়ালেন, তিনি রাজা রামমোহন নন, দেবেন্দ্রনাথ ঠাকুর। তিনি ক্ষিপ্ত হয়ে বললেন, রোসো, দেখাচ্ছি মজা। টেনে টেনে নিয়ে গিয়ে খ্রিশ্চান করে ব্যারাকে ঢোকান—মজা দেখাচ্ছি। প্রকাশিত হল ব্রাহ্মধর্ম। এর একটা 'স্টাইল' ছিল। মিশনারিদের বিরুদ্ধে প্রতিরোধ খাড়া করতে হলে একটা চকচকে ধর্ম চাই, যার মধ্যে বেদান্ত থাকবে, অনন্ত থাকবে আবার যিশুর ধর্মও থাকবে। যিশু মানুষকে অকলঙ্ক, পরিচ্ছন্ন জীবন দিতে চেয়েছিলেন। দক্ষিণেশ্বরের শ্রীরামকৃষ্ণ পরমহংস তাঁকে বলবেন— ঋষিকৃষ্ণ।

জোড়াসাঁকোর দিকে কি হচ্ছে তার ওপর উচ্চবর্ণের শিক্ষিত, রক্ষণশীল হিন্দুদের নজর ছিল। ঘটনাটি যদিও ঘটছে ক্ষুদ্র একটি জায়গায়। দেশের একটি নিভৃত কোণে। হিন্দুদের খ্রিস্টান হওয়ার থেকে রক্ষা করার

জন্য ব্রাহ্মসমাজের আশ্রয় নেওয়াটা তাঁদের কাছে মন্দ একটা প্রস্তাব বলে মনে হল না।

প্রথম নড়াচাড়াটা শুরু হয়েছিল রাজা রামমোহনকে দিয়ে। প্রাচীন কাঠামোয় একটা কম্পন এসেছিল। তবে তা ভূমিকম্প ছিল না। বেদ, বাইবেল ও কোরান—এই তিনটি থেকে তিনি একটি নির্যাস বের করে যা প্রতিপন্ন করার চেষ্টা করলেন তা হল একেশ্বরবাদ। এই এক হলেন ব্রহ্ম। এর ফলে পারিবারিক জীবনে তিনি নিন্দিত হলেন। তাঁকে নাস্তিক ও বিধর্মী বলা হল। রাজা এসব গ্রাহ্য করলেন না। তিনি একজন প্রেরিত পুরুষ। কালের প্রয়োজনেই এসেছিলেন। তিনি যা বলতে চাইলেন, সাধারণ মানুষের কাছে তা দুর্বোধ্য মনে হল। রামমোহনের ধর্ম একটি সীমার মধ্যেই রয়ে গেল। বিরাট একটা ঢেউ হয়ে হিন্দুধর্মের ওপর আছড়ে পড়ল না।

পাদ্রী ডাকসাহেব এই দুর্বলতার সুযোগ নিলেন। তাঁর ব্যাপক প্রচারে একটি কথাই বারে বারে এল—হিন্দুদের ব্রহ্ম একটি অর্থহীন প্রলাপ। যা নেই তাকে আছে বলাটা হাস্যকর ব্যাপার। এ কোনও ধর্মই নয়। রাজা যাঁকে তাঁর ধর্মবিশ্বাসের উত্তরাধিকারী করে গিয়েছিলেন সেই দেবেন্দ্রনাথ এই ডাফের বিরুদ্ধে দাঁড়াতে গিয়ে যথেষ্ট বিপদে পড়লেন। বেদই একমাত্র ধর্ম একথা বললে সাধারণ মানুষ ও মিশনারি—উভয়েই পাশ কাটিয়ে চলে যাবেন। অর্থাৎ ব্রাহ্মধর্মের কোনও শেকড় থাকছে না। ওদিকে যিশু আছেন, এদিকে মহম্মদ আছেন। হিন্দুদের তেত্রিশ কোটি দেবতা আছেন। ব্রাহ্মধর্ম থেকে বেদটা সরে গেলে কিছুই যে আর থাকে না।

চারজন সুপণ্ডিত বেদ অধ্যয়ন করে কাশী থেকে ফিরে এলেন। মহর্ষির সঙ্গে দিনের পর দিন আলোচনা হল। বিস্তারিত আলোচনায় দেবেন্দ্রনাথ বুঝতে পারলেন, বেদে অনেক অযৌক্তিক মত রয়েছে। বেদই একমাত্র অভ্রান্ত শাস্ত্র একথা তাঁর পক্ষে বলা কিছুতেই সম্ভব নয়। রাজা রামমোহন অদ্বিতীয় ব্রহ্মের উপাসনা জনপ্রিয় করার চেষ্টা করেছিলেন। কিন্তু বাইবেল ও কোরান ঢুকে পড়ায় ব্যাপারটা কিঞ্চিৎ জটিল ও দুর্বোধ্য হয়ে গেল। আর সেইভাবেই রয়ে গেল, রাজা চলে গেলেন।

রাজা একটি ধর্মগ্রন্থ পারস্য ভাষায় লিখেছিলেন। গ্রন্থটির নাম—'তোহ্‌ফতুল মোহ্‌দীন।' জায়গায় জায়াগায় রামমোহন যথেষ্ট আক্রমণাত্মক। প্রচলিত ধ্যানধারণার মূলে কুঠারাঘাত করেছেন। বলতে চেয়েছেন, মানব প্রকৃতি ধর্মের মূল ভূমি। মানুষের প্রকৃতিতেই রয়েছে ঈশ্বরমুখীনতা। পৃথিবীর যত দেশে যত মানুষ আছে তাঁদের জাতি, ধর্ম যাই হোক না কেন সকলেরই ঈশ্বরের প্রতি ভক্তি ও অনুরাগ থাকবেই। এই প্রকৃতিতে কোথাও কোনও ভিন্নতা নেই। যা প্রকৃতিতে আছে সেইটাই স্থায়ী। আর যা মানুষ অভ্যাসের দ্বারা অর্জন করে তা অস্থায়ী এবং পরিবর্তনশীল। পৃথিবীর সমস্ত ধর্ম সত্যের ওপর প্রতিষ্ঠিত। আর ঈশ্বরই সেই সত্য। বিশেষ কোনও একটি ধর্মের ওপর পক্ষপাতী হলে সত্য জানা যাবে না। সমস্ত বিষয়টি হল পরম্পরাগত। এক থেকে আর একে সঞ্চারিত।

রাজা রামমোহন প্রকারান্তরে যত মত তত পথের কথাই যেন বলছেন। সবশেষে সেই একই ঈশ্বর। গড, আল্লা, ভগবান আরও যত নাম—সব সেই এক। সেকালের সুপ্রসিদ্ধ মনীষী অক্ষয়কুমার দত্ত ব্রাহ্মধর্মের মূলে মানব প্রকৃতিকেই স্থান দিয়েছেন। কেশবচন্দ্র সেন ব্রাহ্মসমাজে যোগ দেওয়ার পর মহর্ষি জোর দিলেন সহজ জ্ঞান ও আত্মপ্রত্যয়ের ওপর। প্রকাশিত হল গ্রন্থ 'ব্রাহ্মধর্ম'। সেখানে বলা হল—'আমাদের এ স্বভাবসিদ্ধ আত্মপ্রত্যয় থাকাতেই, জ্ঞানস্বরূপ মঙ্গলস্বরূপসর্ব্বব্যাপী নিত্য পরমেশ্বর এই আশ্চর্য সুকৌশলসম্পন্ন বিশ্বের কারণরূপে প্রতীয়মান হইতেছেন। অতএব এই স্বভাবসিদ্ধ আত্মপ্রত্যয়ই তাঁহার অস্তিত্বের প্রামাণ্য স্থাপনের একমাত্র হেতু।'

ব্রাহ্মধর্মে শুধুই জ্ঞানের কচকচি—এই রকমই একটা ধারণা সেকালের সাধারণ মানুষের মনে তৈরি হয়েছিল। ব্রহ্ম, ব্রহ্ম করে যাঁরা মাতামাতি করছেন তাঁরা সকলেই সমাজের ওপরতলার প্রাণী, সাধারণ মানুষের জন্যে শহর কলকাতার নেটিভপাড়া পঙ্ককুণ্ড। যেদিকটার খবর রাখেন ঈশ্বরচন্দ্র বিদ্যাসাগর। যেদিকের খবর রাখেন ডেভিড হেয়ার। কলকাতার যে অঞ্চলে কেশবচন্দ্রের বসবাস, সে দিকটায় নানা রকমের মানুষ থাকেন। বেশির ভাগই অশিক্ষিত, দরিদ্র। বিশিষ্ট ধনী মানুষেরা এঁদের

দিকে ফিরেও তাকান না। অন্যধর্মের লোকও আছেন। বহিরাগত ভিন্ন
ভাষীরাও রয়েছেন। কেশবচন্দ্র এঁদের মধ্যেই রয়েছেন। এঁদের জীবনের
প্রত্যক্ষ সাক্ষী। জোড়াসাঁকোর দিকটা অন্যরকম। সেদিকে বাবু কালচারের
বাড়াবাড়ি। মানুষের চরিত্র ধরে টানাটানি। ব্রাহ্ম সমাজের ধর্ম বিশিষ্ট
জনেদের মধ্যেই সীমাবদ্ধ থাকবে অথবা সাধারণ মানুষের পরিধিতে
প্রবেশ করবে—এ এক প্রশ্ন।

কেশবচন্দ্র ভাবছেন—ব্রহ্মে মানুষ কতক্ষণ থাকতে পারেন। সৃষ্টিতে
তাঁকে নামতেই হবে। তিনি তাঁর নিজস্ব চিন্তা এবং ভাবনায় একটি পথ
খুঁজে পেলেন —এদিক থেকে ওদিকে যাও। আগে সৃষ্টিকে স্বীকার কর,
সৃষ্টির বিচিত্র রূপ প্রত্যক্ষ কর, কি থাকে, কি থাকে না বোঝার চেষ্টা
কর, তখনই তুমি আদিহীন, অন্তহীন ঈশ্বরকে খুঁজে পাবে, বুঝতে পারবে
তাঁর মহিমা, আশ্চর্যের ব্যাপার ঠিক এই কথাটিই শ্রীরামকৃষ্ণ একদিন
কেশবচন্দ্রকে বলবেন। বলবেন, সৃষ্টির মধ্যেই স্রষ্টা বসে আছেন, সম্পূর্ণ
নিরাসক্ত হয়ে।

সমাজের ভাষায় ব্রাহ্মধর্মের মূল কথা দাঁড়াল—'স্থাবর জঙ্গম, সমুদায়
বস্তু তাঁহারই সৃষ্টি, তাঁহারই কৌশল, তাহারা তাঁহারই কীর্তি প্রকাশ
করিতেছে, তাঁহারই মহিমা প্রচার করিতেছে, তাঁহারই নাম ঘোষণা
করিতেছে, আমরা মনোনিবেশ করিলেই তাহা অবগত হইতে পারি। সৃষ্টি
বিষয়ক জ্ঞান প্রাপ্ত হইলেই ব্রহ্মের জ্ঞান লাভ করা যায়, এবং নিয়ম
জানিলেই নিয়ন্তার অভিপ্রায় অবগত হওয়া যায়।'

আকাশে যেমন মেঘ ঘনায়, বিদ্যুৎ চমকায়, গুড় গুড় শব্দ করে
বজ্রপাত হয়, সকলেই বুঝতে পারেন ঝড় আসছে। চতুর্দিক লণ্ডভণ্ড
হওয়ার আশঙ্কা। ঠিক সেই রকমই একটি পরিস্থিতির সম্মুখীন হলেন
কেশবচন্দ্র সেন।

উনিশ শতকের হিন্দু সমাজে গুরুদের যথেষ্ট প্রভাব ছিল। দীক্ষা একটি শব্দ, কিন্তু এর মধ্যে দেওয়া ছিল একটি ছাড়পত্র। যিনি দীক্ষা গ্রহণ করবেন তাঁর চরিত্র যেমনই হোক, তিনি জাতে উঠলেন। তাঁর মর্যাদা, কর্তৃত্ব, অধিকার সবই বেড়ে গেল। দীক্ষা একটি গুরুতর ব্যাপার। দীক্ষাগ্রহণ না করলে পরিত্রাণ পাওয়া যায় না। যিনি দীক্ষিত নন তাঁর হাতের জল অশুদ্ধ। তিনি এক অর্থে পতিত। উচ্ছৃঙ্খল ধর্মহীন মানুষও দীক্ষা নিতেন, হিন্দু সমাজের সঙ্গে তাঁর যোগটি রক্ষা করার জন্য। গুরুর প্রতি ভক্তি না থাকলেও কপট ভক্তির আতিশয্যে অন্ধকার ছুটিয়ে দিতেন। বাড়িতে গুরু এলে নানারকমের আদিখ্যেতা শুরু হত। যেমন পাদবন্দনা, পাদোদক গ্রহণ, প্রসাদ ভক্ষণ ইত্যাদি।

কেশবচন্দ্রের পরিবার বৈষ্ণব পরিবার। এই পরিবারের গুরু বংশ মুর্শিদাবাদের মানকরহাটির গোস্বামীরা। প্রত্যেক বছর গুরুরা পালা করে শিষ্যদের বাড়িতে আসেন। এ যেন বর্ষপরিক্রমা। এই সময়ে যাঁরা পরিবার মধ্যে অদীক্ষিত রয়েছেন তাঁদের মন্ত্রদান করেন। বার্ষিক পদার্পণের নিয়মানুসারে রাধিকাসুন্দর গোস্বামী সেন পরিবারে উপস্থিত হলেন। গৃহে গুরু এসেছেন। সাজ সাজ রব। অদীক্ষিতরা দীক্ষা নেবেন। এই তালিকায় প্রথমেই যাঁর নাম, তিনি কেশবচন্দ্র। পরিবারের নিয়মানুসারে, শাসন অনুসারে দীক্ষা তাঁকে নিতেই হবে। দীক্ষার আগে যে সংযম পালন করা উচিত, অন্যান্যদের সঙ্গে তাঁকে সেই সংযম সাধনে বাধ্য করা হল। এক ধরনের জোরজবরদস্তি।

বিদ্রোহী কেশবচন্দ্র পৌত্তলিক গুরুর কাছে কিছুতেই মন্ত্রগ্রহণ করবেন না। প্রতিনিয়ত যে বাণী তাঁর হৃদয়ে আলোড়িত হয়, যে আদেশ তিনি শুনতে পান—এক্ষেত্রেও তাই হল। তিনি জানিয়ে দিলেন, দীক্ষাগ্রহণ তাঁর পক্ষে অসম্ভব। আপনজনেরা, যাঁরা তাঁর সমবয়স্ক, কিছুটা আধুনিক তাঁরা

কেশবচন্দ্রকে বললেন, এত উতলা হওয়ার কি আছে? দীক্ষা একটা নিয়ে নাও না। তারপর মন্ত্রজপ করলে, কি না করলে, কে দেখতে আসছে। মনে কর না এটা একটা অভিনয়। গুরু যা করার করে যান, তারপর তুমি তোমার পথে চল। এতে তো কারুর কোনো ক্ষতি নেই, দীক্ষা, দীক্ষা খেলা। কেই বা সেভাবে মানে?

কেশবচন্দ্র কোনও সাধারণ মানুষ হলে এই কথায় ঘাড় নাড়তেন। অভিনয় মানে ভণ্ডামি, কপটতা, এই দুটি গুণই তাঁর চরিত্রে নেই। তিনি যে বিবেকের অনুগমণ করেন তা অতি প্রখর, জ্বলন্ত আগুনের মতো। তিনি জোড়াসাঁকোয় ধর্মপিতা দেবেন্দ্রনাথের কাছে গেলেন। মহর্ষি বললেন, তোমার সিদ্ধান্তের সঙ্গে আমি সহমত। কিন্তু পরিবারের প্রথার বিরোধী হতে হলে যথেষ্ট সাহসের প্রয়োজন। সেই সাহস যদি তোমার থাকে তাহলে তুমি স্পষ্ট জানিয়ে দাও— দীক্ষা নেওয়া আমার পক্ষে সম্ভব নয়।

সেন পরিবারের সকাল। কলুটোলার বাড়িতে বিরাট আয়োজন। কুলগুরু রাধিকাসুন্দর গোস্বামী আজ কেশবচন্দ্রকে দীক্ষা দেবেন। তিনি আসনে বসেছেন। অতি সুন্দর এক মানুষ। উচ্চ মার্গে বিচরণ করেন। লোভী গুরু নন। চাল-কলা-পোঁটলা-পুঁটলি-ছাতা-ছড়ি-খড়ম-গামছা-ধুতি-ফল-ফলার— এসবের দিকে তাঁর আদৌ কোনও নজর নেই। শাস্ত্রজ্ঞানসম্পন্ন গোস্বামী ব্রাহ্মণ। পশুবাহিত অথবা মনুষ্যবাহিত কোনও যানে চাপেন না। অতি আদর্শবাদী। সাধক তুল্য এক মানুষ। কিন্তু কেশবচন্দ্র কোথায়? সারা বাড়িতে তাঁর কোনও সন্ধান পাওয়া গেল না। ভোর না হতেই তিনি গৃহত্যাগ করে মহর্ষি দেবেন্দ্রনাথের বাড়িতে চলে গেছেন। কিন্তু এদিকে রটে গেল, তিনি খ্রিস্টান হওয়ার জন্য পাদ্রি ডাফ সাহেবের আশ্রয়ে চলে গেছেন। এই দুঃসংবাদে জননী সারদা সুন্দরী চোখের জলে শয্যা গ্রহণ করলেন। দীক্ষা গ্রহণের আসনে এসে বসলেন তাঁর জামাতা। সারা বাড়ি থমথমে। কেশবচন্দ্রের জ্যাঠামশাই হরিমোহন ভীষণ কড়া মানুষ। পরিবারের কারও কোনও বেচাল সহ্য করতে পারেন না। পাড়ার মানুষ তাঁকে ভয় মিশ্রিত শ্রদ্ধা করেন। কিছুক্ষণের জন্য বাড়িতে হুলস্থূল পড়ে গেল। কিন্তু কুলগুরু রাধিকাসুন্দর অতি ধীর এবং শান্ত। তিনি মান, অপমান বোধের ঊর্ধ্বে।

রাত এগারোটার সময় কেশবচন্দ্র কলুটোলার বাড়িতে ফিরে এসে সোজা চলে গেলেন তাঁর মায়ের কাছে। মায়ের হাতে ছোট্ট একটি পুস্তিকা আর কাগজ দিলেন। এর আগেও কেশবচন্দ্র মাকে এই রকম ছোট-ছোট বই দিতেন, যাতে ব্রাহ্ম ধর্মের সার কথা লেখা আছে। সারদাসুন্দরী ভয়ে পড়তেন না। ভাবতেন, এসব পাদ্রিদের প্রচার পুস্তিকা। আজ তিনি এতটাই উদ্বিগ্ন যে সঙ্গে সঙ্গে পড়তে শুরু করলেন। প্রথমেই লেখা আছে একটি গানের দুটি লাইন—'তুমি কার কে তোমার, তুমি কারে বলরে আপন; মিছে মায়ায় নিদ্রাবশে দেখেছ স্বপন।' এরপরে তিনি বইটি কুলগুরুর হাতে তুলে দিলেন। তিনি বইটি পড়ে কেশবজননী সারদাকে বললেন, 'মা, তুমি কেঁদ না। কেশব অতি উৎকৃষ্ট ধর্মের আশ্রয় গ্রহণ করেছে, এ ধর্ম প্রতিপালন করে সে পরম ধার্মিক হবে।'

কুলগুরুর কথায় কেশবচন্দ্রের জননী শান্ত হলেও হরিমোহন কিছুতেই শান্ত হতে পারলেন না। এই শহরে ঠাকুর পরিবারকে বলা হয় ম্লেচ্ছ পরিবার। তাঁরা হিন্দুদের ধর্মকর্ম মানেন না। পৌত্তলিকতার প্রশ্রয় দেন না। আধা খ্রিস্টান। বনেদি হিন্দু পরিবারের কেশবচন্দ্র জাত খুইয়ে সেই পরিবারের সঙ্গে মাখামাখি শুরু করেছে। তখন জ্যাঠামশাই এবং ভাইপোর মধ্যে এক ধরনের দ্বন্দ্ব শুরু হল। কেশবচন্দ্রের চালচলন, হাবভাব, ধীর স্থির, সহসা উত্তেজিত হন না। আক্রমণে প্রতি আক্রমণ তাঁর স্বভাব বিরুদ্ধ। শেষ পর্যন্ত হরিমোহন কেশবচন্দ্রের স্নিগ্ধ ব্যক্তিত্বের কাছে পরাভূতই হলেন। কেশবচন্দ্রের মস্ত বড় একটা সুবিধা হল—কুলগুরু রাধিকাসুন্দর তাঁর দিকে। তিনি যদি কেশবচন্দ্রের বিরুদ্ধে যেতেন তাহলে ঘটনা অন্যদিকেই গড়াত। রাধিকাসুন্দর কেশবচন্দ্রের প্রশংসায় পঞ্চমুখ হলেন। একথাও জানালেন—যা হয়েছে এতে এক নতুন ভবিষ্যত তৈরি হবে। যেদিন এই ঘটনা ঘটল. তারপরের দিন মহর্ষি দেবেন্দ্রনাথ সত্যেন্দ্রনাথকে সেন বাড়িতে পাঠালেন খবর আনবার জন্যে—কেশবচন্দ্রকে দীক্ষা গ্রহণ করতে হয়েছে, না তিনি দীক্ষা গ্রহণ থেকে বিরত থাকতে পেরেছেন।

কেশবচন্দ্র নাটক, অভিনয় ইত্যাদি পছন্দ করতেন। সে তো এক জাগরণের কাল, জীবনের প্রায় প্রতিটি ক্ষেত্রে পশ্চিমের আলো এসে

ঢুকেছে। শিক্ষা, দীক্ষা, বুদ্ধি, মেধা, যুক্তি, তর্ক, বিক্ষোভ, বিচার—সবই পাশ্চাত্য শিক্ষার প্রভাব। এরই নাম রেনেসাঁস। কেশবচন্দ্র কুলপ্রথার বিরুদ্ধে রুখে দাঁড়ালেন। এটি তাঁর বিধর্মিতা নয়, এ হল নতুনের প্রতি আগ্রহ। যা কিছু বুদ্ধি ও বিচার নির্ভর তার প্রতি সেই যুগের যুবকদের আকর্ষণ। এ এক যুগ জাগরণ। সেই সময় কলকাতার বিভিন্ন কেন্দ্রে নাট্যচর্চা, অভিনয় চলছে। এই দিক থেকেই বেরিয়ে আসবে নতুন এক নাট্য যুগ। কেশবচন্দ্র অভিনয় পছন্দ করতেন আমোদ-প্রমোদের জন্যে নয়, শক্তিশালী লোকশিক্ষার মাধ্যম বলে। অভিনয়ের মধ্য দিয়ে মানুষের মনে সহজেই নীতিশিক্ষা, আদর্শ প্রভৃতি গেঁথে দেওয়া যায়।

সেই সময় পাইকপাড়ার প্রখ্যাত জমিদার সিংহমহাশয়দের বাড়িতে নাট্যচর্চার এক নতুন যুগ শুরু হয়েছিল। সাধারণ মানুষ বলতেন— পাইকপাড়ার সিংহী বাড়ি। প্রভূত ধনী। এ পাল্লায় ঠাকুর পরিবার আর ও পাল্লায় সিংহদের বসালে —কোনদিকের ওজন বেশি হবে তা পরে বোঝা যাবে। বড়লোক সিংহদের সেকালের বিশ্রী জমিদারদের মতো কুশ্রী অভ্যাস ছিল না। তাঁরা নাট্যচর্চা করতেন দুটি কারণে—১) বিনোদন, ২) ভদ্র পরিবারের ভদ্র সন্তানরা অভিনয় করবেন, সেই অভিনয়েই কোনও বাজারি ব্যাপার থাকবে না। অর্থাৎ ভদ্দর লোকের থিয়েটার।

কেশবচন্দ্র এঁদের দ্বারা প্রভাবিত হলেন। তিনি সিংহ পরিবারে নাটক দেখে উৎসাহিত হলেন, সঙ্গে সঙ্গে তাঁর নিজের চরিত্র অনুসারে ভাবলেন—এর চেয়েও ভালো কিছু করতে হবে। তাঁর পরিবারের প্রায় প্রত্যেকেই তাঁকে উৎসাহিত করলেন। জ্যেষ্ঠ ভ্রাতা নবীনচন্দ্র একজন প্রথম শ্রেণির বিদগ্ধ সংস্কৃতিমান মানুষ। তিনি যেমন উৎসাহ দিলেন, খুড়তুতো ভাই মুরলীধর সেনও কেশবচন্দ্রের সহযোগিতায় কোনওরকম ত্রুটি রাখলেন না।

সিন্দুরিয়া পটির গোপাল মল্লিকের বাড়িতে একটি রঙ্গালয় তৈরি হল। অভিনীত হল সেকালের সাড়াজাগানো নাটক 'বিধবা বিবাহ'। কেশবচন্দ্র এই অভিনয়ের পরিচালনায় প্রায় সমস্ত বিভাগের দায়িত্ব নিয়েছিলেন। অভিনেতাদের অভিনয় শেখানো, স্টেজ সাজান, আলো, সংগীত—সবই হয়েছিল তাঁর নির্দেশে। আমন্ত্রিত হয়েছিলেন পণ্ডিতপ্রবর ঈশ্বরচন্দ্র

বিদ্যাসাগর ও অন্যান্য অনেক জ্ঞানীগুণী। সকলেই প্রশংসা করেছিলেন। পরবর্তীকালে অর্থাৎ ৬৩, ৬৪ সাল নাগাদ কেশবচন্দ্র ব্রাহ্ম সমাজের মঞ্চে যে নাটক অভিনয় করাবেন সে হবে আরও ঐতিহাসিক। পরের কথা পরে।

নাটক সে তো হল। এরপরে তাঁকে কোন ভূমিকায় দেখা যাবে। এবার আরও গুরুতর ব্যাপারে তিনি উৎসাহী হলেন। সেটি হল ব্রহ্ম বিদ্যালয় স্থাপন। ১৮৫৯ সালে ঠিক কোন তারিখে বিধবা বিবাহ নামান হয়েছিল তা জানা না গেলেও —এই ব্রহ্ম বিদ্যালয় সংক্রান্ত প্রথম অধিবেশনটি হয়েছিল কলুটোলার বাড়িতে ১৮৫৯ সালের ২৪ এপ্রিল। প্রয়াত গোপাল মল্লিকের সুবৃহৎ ভবনে নাট্যাভিনয় হয়েছিল। সেই খানেই এবার স্থাপিত হল ব্রহ্ম বিদ্যালয়। আর ছাত্র হিসাবে যোগ দিলেন ওই নাটকে যাঁরা অভিনয় করেছিলেন তাঁরাই। জ্যৈষ্ঠ মাসের তত্ত্ববোধিনী পত্রিকায় এই বিজ্ঞাপনটি প্রকাশিত হল—'সম্প্রতি সিন্দুরিয়া পটির গোপাল মল্লিকের বাটিতে ব্রহ্ম বিদ্যালয় স্থাপিত হইয়াছে। তথায় প্রতি রবিবারে প্রাতঃকালে ৭ ঘন্টা অবধি ৯ ঘন্টা পর্যন্ত ব্রহ্মবিষয়ক উপদেশ দেওয়া হইয়া থাকে। কেবল প্রতি মাসের প্রথম রবিবারে প্রাতঃকালের পরিবর্তে সন্ধ্যা ৭ ঘন্টার সময়ে উচ্চ বিদ্যালয়ের উপদেশ আরম্ভ হয়। শ্রীযুক্ত দেবেন্দ্রনাথ ঠাকুর ব্রহ্মের স্বরূপ ও তাঁহার প্রতি প্রীতি এবং তাঁহাকে আত্মসমর্পণ বিষয় উপদেশ দিয়া থাকেন। এবং শ্রীযুক্ত কেশবচন্দ্র সেন ঈশ্বরের প্রিয়কার্য্য সাধন এবং তাঁহার প্রতিষ্ঠিত ধর্ম্মের লক্ষণ ও তদনুষ্ঠান বিষয়ে সুচারু উপদেশ প্রদান করিয়া থাকেন। যাঁহার এই ব্রহ্ম বিদ্যালয়ে ছাত্ররূপে প্রবিষ্ট হইতে ইচ্ছা করেন, তাঁহার কলুটোলা নিবাসী শ্রীযুক্ত কেশবচন্দ্র সেনের নিকটে আবেদন করিবেন।'

এই যে ব্রহ্ম বিদ্যালয়, এটি ব্রাহ্ম সমাজেরই সম্প্রসারিত কর্মসূচি। এখানে কেশবচন্দ্র আত্মপ্রকাশ করলেন 'প্রিচার' হিসাবে। জীবনের সঙ্গে ধর্মের সমন্বয় সাধন করে ধর্মজীবন কী করে গঠন করতে হয় সেই উপদেশই তিনি দিতে থাকলেন। এ যেন ধর্মকে বাইরের উঠান থেকে তুলে এনে জীবনের অন্দরমহলে স্থাপন করার প্রয়াস। মল্লিকবাড়ির ক্লাস খুব বেশিদিন চলল না। স্থানান্তরিত হল ব্রাহ্ম সমাজের দ্বিতল গৃহে।

মহর্ষি দেবেন্দ্রনাথ উপদেশ দিতেন বাংলায় আর কেশবচন্দ্র ইংরেজিতে।

এই সময় কেশবচন্দ্রের মনে হল, ব্রাহ্ম ধর্মকে একটা কোনও নীতির ওপর দাঁড় করাতে হবে। একদিকে বেদ, বেদান্ত, উপনিষদ। ওদিকে কোরাণ, যিশুর ধর্মে বাইবেল। হিন্দু ধর্মের দুটি বড় বিভাগ—শাক্তদের হাতে তন্ত্র, বৈষ্ণবদের হাতে ভাগবত। ব্রাহ্ম ধর্মের জন্যেও তো অনুরূপ একটা কিছু চাই। কেশবচন্দ্র এক বৈপ্লবিক সিদ্ধান্তে এলেন—যে যাই বলুক, মানুষের সাধারণ জ্ঞানেই ঈশ্বর রয়েছেন। ব্রাহ্ম ধর্মের ভিত্তি ভূমি হল সাধারণ জ্ঞান। এই কথা শুনে হিন্দুরা যেমন অসন্তুষ্ট হলেন, খ্রিস্টানরাও সেইরকম অখুশি হলেন। এ তো এক ধরনের নৈরাজ্য, কেশবচন্দ্র এসব গ্রাহ্য করলেন না। মহর্ষি দেবেন্দ্রনাথ দেখে যাচ্ছেন তাঁর এই তরুণ সেনাপতি কোন পথে এগোন। এই সময় থেকেই কেশবচন্দ্র একের পর এক সংঘাতের পথ ধরে এগতে লাগলেন।

একদিন হঠাৎ কেশবচন্দ্র কলকাতা থেকে অদৃশ্য হলেন। পরিবার-পরিজন কেউ জানল না, তিনি কোথায় গেছেন। কেশবচন্দ্র সেইসময় উলটোডাঙায় তাঁর নিজস্ব একটি বাগানবাড়িতে থাকছেন। হতে পারে বাগান, কিন্তু চারপাশের পরিবেশ অত্যন্ত অপরিচ্ছন্ন। কলকাতায় দিশি পাড়া যেমন হয়। খোলা নর্দমা, দুর্গন্ধ, মশা, মাছি। কেশবচন্দ্রের স্ত্রী সেইসময় আগরপাড়ায় মামার বাড়িতে রয়েছেন। কেশবচন্দ্রের অদৃশ্য হয়ে যেতে এই কারণেই বিশেষ অসুবিধা হল না। ক্যালেন্ডারে তারিখ ১৮৫৯, ২৭ সেপ্টেম্বর। কলকাতার জেটি থেকে বেলা দুটোর সময় একটি জাহাজ ছাড়ল। জাহাজটির নাম 'নিউবিয়া'। সেই জাহাজের আরোহী মহর্ষি দেবেন্দ্রনাথ, তাঁর দ্বিতীয় পুত্র সত্যেন্দ্রনাথ, বাগবাজারের সুপ্রসিদ্ধ গাঙ্গুলি পরিবারের কালীকমল গাঙ্গুলি, আর কেশবচন্দ্র। এঁরা সবাই চলেছেন সিংহলে। যতক্ষণ না জাহাজ ছাড়ল ততক্ষণ কেশবচন্দ্র কেবিনের কোণে ঘাপটি মেরে রইলেন। বলা তো যায় না, পরিচিত কেউ দেখলেই কলুটোলার বাড়িতে গিয়ে খবর দেবে।

কলকাতার বন্দর ক্রমশই পেছতে লাগল। এগিয়ে আসছে সমুদ্র। এখন আর ভয় নেই। সকলেই আশ্বস্ত হয়ে জাহাজের ডেকে বসে অপরাহ্ণবেলার সূর্যাস্ত দেখছেন। প্রথমেই খবর পৌঁছল আগরপাড়ায়

বালিকাবধূটির কাছে। সেকালের বাঙালি পরিবারে একটা ব্যাপার ছিল—যত দোষ নন্দ ঘোষ-এর মতো, স্বামীর সংসারে মতি না থাকলে স্ত্রীকেই দোষী করা হত। আর আত্মীয়-স্বজনরা সমস্বরে গাল পাড়তেন—অভাগী, হতভাগী। এক্ষেত্রেও তাঁর ব্যতিক্রম হল না। বিবাহের পর থেকে কেশবচন্দ্র স্ত্রীর কাছ থেকে একটা দূরত্ব বজায় রেখে চলতেন। কথাও বলতেন না, সম্বোধনও করতেন না। তিনি অন্তঃপুরে যাওয়া ছেড়েই দিয়েছিলেন।

কলুটোলার সেন পরিবারে যথাসময়ে খবর এল—কেশববাবু ঠাকুর পরিবারের ম্লেচ্ছদের সঙ্গে কালাপানি পার হয়ে যাচ্ছেন রাক্ষসদের দেশে। সেখানে হিন্দু নেই বললেই চলে। বৌদ্ধধর্মের শক্তিশালী ঘাঁটি। হিন্দু শাস্ত্রের নিয়মানুসারে কালাপানি পার হলেই ধর্ম নষ্ট হয়। জাহাজে ম্লেচ্ছদের সঙ্গে থাকা, তাঁদেরই স্পর্শ করা খাদ্য, আহার—এ যেন অপরাধের অক্টোপাস, খাঁটি একজন হিন্দুকে জড়িয়ে ধরেছে। এতকাল জোড়াসাঁকোর বাড়িতে যাওয়া, হিন্দু ধর্ম ত্যাগ করে বিচিত্র এক ধর্মের আশ্রয় নেওয়া—এসব যদিও বা মেনে নেওয়া যাচ্ছিল। হাঁড়ির খবর হাঁড়িতেই থাকছিল। এই বার যা হল সে তো আর চেপে রাখা যাবে না। চারিদিকে ঢি-ঢি পড়ে যাবে। সবাই ছি-ছি করবেন। হিন্দু সমাজে কেশবচন্দ্র পতিত হবেন। তাঁর পরিবার-পরিজন কলুটোলার বাড়িতে রাগে হাপরের মতো ফুঁসতে লাগলেন।

মেয়ে মহলে এই সিদ্ধান্ত হল, রামকমলবাবুর নাতি কেশবচন্দ্র মনের মতো স্ত্রী না পাওয়ায় সংসারে উদাসীন। স্ত্রীর জন্যেই ছেলেটি দেশান্তরী। কেশবচন্দ্রের স্ত্রী এই ভয়ঙ্কর অপমান মাথা নিচু করে সহ্য করলেন। জ্বর এসে গেল। তাঁর এই রকম মনে হল, এ জীবন আর রেখে লাভ কী? পল্লীগ্রামে পুকুরের অভাব নেই। কচুরিপানায় ভরা। সেইরকমই একটি পুকুরের হিমশীতল জলে স্নান করলেন। পথ্য হিসেবে খেলেন তেঁতুল। জ্বর বিকারে পরিণত হল। তাঁর আত্মীয়-পরিজনেরা কন্যার জীবনের আশা ছেড়ে দিলেন। কিন্তু ঈশ্বরের অভিপ্রায় তো অন্যরকম। তাঁকে বাঁচতে হবে, বিখ্যাত স্বামীর সহধর্মিণী হতে হবে। মস্ত এক রাজা তাঁর জামাই হবেন। এসব যে লেখা আছে।

এদিকে সমুদ্রবক্ষে ভেসে চলেছে নিউবিয়া। কলকাতার এক মহান মানুষ ঠাকুর পরিবারের অলঙ্কার মহর্ষি দেবেন্দ্রনাথ, বিখ্যাত সত্যেন্দ্রনাথ আর উদীয়মান কেশবচন্দ্র। ডেকে বসে আছেন, বিদেশি, বিদেশিনীরাও রয়েছেন। সমুদ্রের ঢেউ স্বভাবতই বিপুল। জাহাজের দুলুনি, উদার, উন্মুক্ত আকাশ, কোথাও কোনও কূলকিনারা নেই। অভিভূত তরুণ কেশবচন্দ্র জীবনপ্রেমে বিভোর। প্রয়োজন একটি ডায়েরির আর একটি কলম। শুরু হল তাঁর রচনা—'সিংহল ভ্রমণ বৃত্তান্ত'। মঙ্গলবার, ২৭ সেপ্টেম্বর, ১৮৫৯। তিনি লিখছেন ইংরেজিতে, এখানে পরিবেশিত হবে বাংলায় কিছু কিছু অংশ। এই রচনায় ধর্মগুরু কেশবচন্দ্রকে আমরা সম্পূর্ণ অন্য মেজাজে পাব। তিনি যদি শুধু সাহিত্য রচনা করতেন তাহলেও ঊনবিংশ শতাব্দীর এক প্রথম সারির সাহিত্যিক হতে পারতেন। তাঁর পর্যবেক্ষণ ও সেন্স অফ হিউমার এককথায় অতুলনীয়। কখনও কখনও দর্শনও যুক্ত হয়ে এক ধরনের অলৌকিক পরিমণ্ডল রচনা করেছে। এই ভ্রমণ কাহিনি ডায়েরি ধরনের একটি লেখা। জাহাজের কেবিনে বসে প্রতিদিনের ঘটনা ও অভিজ্ঞতা নিষ্ঠার সঙ্গে বর্ণনা করেছেন। এ ব্যাপারে তাঁর কোনও অমনোযোগ বা ক্লান্তি ছিল না। সামুদ্রিক পীড়ায় যখন কাতর, তখনও তিনি ডায়েরি লিখতে অবহেলা করেননি। ভারত মহাসাগরের খুব একটা সুনাম নেই, সদা উত্তাল; উৎক্ষিপ্ত, জাহাজটিকে মোচার খোলার মতো এপাশে-ওপাশে, সামনে-পিছনে দুলিয়ে যাত্রীদের জীবন অতিষ্ঠ করে তুলেছে। কেশববাবুর সহভ্রমণকারীরা একে একে বাঙ্কে আশ্রয় নিয়েছেন। অতিশয় কাতর হয়ে পড়েছেন সত্যেন্দ্রনাথ। তিনদিন কোনও খাদ্যগ্রহণ করেননি। এই বিপর্যয় কেশবচন্দ্রের কলম ভিন্ন রকমের এক মজার চিত্র প্রকাশ করেছে।

প্রথমে তিনি বৃহতের প্রেক্ষাপটে নিজেকে হারিয়ে ফেলতে চাইছেন। সিন্ধুর বুকে বিন্দুর মতো নিজের জীবন যেন হারিয়ে যাচ্ছে। লিখছেন, 'মনে হইতে লাগিল আমি যেন একটি ধারণার অতীত প্রকাণ্ডবৃত্তের মধ্যবিন্দুতে বসিয়া আছি। আর উহার ব্যাসার্ধগুলি দূরবর্তী দিঙ্মণ্ডলের বিচিত্রবর্ণ মেঘনিচয় মধ্যে মিশাইয়া গিয়াছে। কোনো একটি অসীমের বক্ষে আমি রহিয়াছি অনুভব করিতে লাগিলাম।' বেশ কিছুকাল পরে

স্বামী বিবেকানন্দের কলম থেকেও অনুরূপ একটি সমুদ্রভ্রমণ কাহিনি প্রকাশিত হবে। দুটির মধ্যেই সৌসাদৃশ্য খুঁজে পাওয়া যাবে। কারণ মানুষের মনে সমুদ্র একই ছবি আঁকে।

কেশবচন্দ্রের আন্তরিক এই ভ্রমণকাহিনির শুরুটা এইরকম—'মঙ্গলবার, ২৭ সেপ্টেম্বর, ১৮৫৯।

১২টা বাজিতে ২৫ মিনিট থাকিতে বাষ্পযান ছাড়িল। অপরাহ্নে চারিটা পোনের মিনিটে স্টিমার নোঙর করিল। আমাদের ঠিক ছাড়িবার সময়ের কিছু পূর্বে এক পশলা ভারি বৃষ্টি হয়। কিছু পরেই বৃষ্টি বাতাস আর নাই, ক্রমান্বয়ে কেবল মৃদুমন্দ শীতল বাতাস বহিতেছে। সায়ঙ্কালের বাতাস বড় মৃদু ও মনোহর।

দিন বড় আহ্লাদে গেল। দিবারাত্র চিন্তা উদ্বেগে মন অত্যন্ত ক্লিষ্ট ছিল, সে চিন্তা উদ্বেগ হইতে মনের শান্তিলাভ হওয়াতে বিশেষ আহ্লাদ। অহো, কত বিপৎ, কত বাধা আমায় অতিক্রম করিতে হইয়াছে। অভিপ্রায় গোপন রাখিবার জন্য, পলায়নের উপায়। উদ্ভাবনজন্য কত প্রণালী স্থির করিতে হইয়াছে। আমার মন ঘোর চিন্তা ও ক্লেশ কর উদ্বেগে পূর্ণ ছিল। কিন্তু এখন আর মনের সে সকল চিন্তা নাই, সে সকল উদ্বেগ নাই। হে সর্ব্বশক্তিমান্, ঈশ্বর, তুমি যে আমায় উদ্ভাবিত উপায়ে কৃতকার্য্য করিলে এবং তদ্দ্বারা আমার আত্মাতে অতুল আনন্দের দ্বার উদ্ঘাটন করিয়ে দিলে, তজ্জন্য তোমায় ধন্যবাদ। অনেক দিন পর্যন্ত আমার সাহসিক কার্যে প্রবৃত্তি, দেশভ্রমণের জন্য আমার তৃষ্ণা। প্রভো, তুমি আমার সে তৃষ্ণা প্রচুর পরিমাণে পরিতৃপ্ত করিলে। আশীর্ব্বাদ কর, যেন আমি এই দেশভ্রমণে তোমার ক্রিয়াকৌশল এবং তোমার গৌরব ও মহত্ত্ব ভালো করিয়া অবগত হইয়া বিশেষ লাভবান্ হই।'

কলকাতার জাহাজ বাহির সমুদ্রে পড়বে—এ এক দুঃসাধ্য ব্যাপার। ডায়মন্ডহারবারের পরেই স্যান্ডহেডস। এই সময় অভিজ্ঞ পাইলট জাহাজকে ঠিক পথে পরিচালিত করে সমুদ্রে ছেড়ে দেন। এরজন্য অপেক্ষা করতে হয়। কলকাতা ছাড়া মানেই তরতর করে জাহাজ চলতে শুরু করল—তা কিন্তু নয়। কেশবচন্দ্রের জাহাজ বুধবার নটা পনের মিনিট নাগাদ ডায়মন্ডহারবার পেরল। এর মাঝে একবার-দু'বার বৃষ্টি হয়ে গেছে।

সমুদ্র নয় নদীতেই জাহাজ। শান্ত নদী। কেশবচন্দ্র ও সত্যেন্দ্রনাথ জাহাজের ডেকে দাঁড়িয়ে উদার ও উন্মুক্ত দৃশ্য অবলোকন করতে লাগলেন। এক পশলা বৃষ্টি এসে শরীর ভিজিয়ে দিল। জাহাজের ডেকেই জাহাজ পরিষ্কার করছিলেন যাঁরা, তাঁদের বললেন, তোমাদের পাইপের জল দিয়ে আমাদের দুজনকে স্নান করিয়ে দাও। বেলা আড়াইটের সময় হঠাৎ জলের রঙ পালটে গেল। একেবারে সবুজ, এদিকে অনেকটা আকাশে অনেক রকমের খেলা চলেছে। ওদিকের আকাশ রোদ ঝলমলে, এদিকে বৃষ্টি। আবার পিছনে যখন রোদ, তখন সামনে বৃষ্টির রাজত্ব। ইতিমধ্যে ও পাশের একটি জাহাজ থেকে লম্বা একটি নৌকো জলে ভাসল। হাল ধরেছেন একজন ইওরোপীয় আর দাঁড় টানছেন কয়েকজন দেশীয় খালাসি। সেই লং বোট কেশববাবুদের জাহাজে এসে লাগল। পাইলটকে নৌকায় তুলে নিয়ে ফিরে গেল সেই জাহাজটিতে।

কেশববাবু ডায়েরিতে লিখছেন, 'নদী হইতে জাহাজ বাহির হইয়া আসিয়া সমুদ্রবক্ষে না পড়ে, ততক্ষণ পাইলটের সাহায্য প্রয়োজন ; কারণ নদী আপৎসঙ্কুল সিকতাপুঞ্জে পূর্ণ। পাইলটের চলিয়া যাওয়া এই জন্য উদ্বেগশান্তির লক্ষণ প্রকাশ করিল; কেননা আমরা বুঝিতে পারিলাম। আমরা ভাগীরথী ও গঙ্গা ফেলিয়া আসিয়াছি এবং এখন বঙ্গীয় অখাত দিয়া যাইতেছি। আমার জন্মতারকাপুঞ্জকে ধন্যবাদ। প্রাচীন বঙ্গভূমি সম্পূর্ণ দৃষ্টিবহির্ভূত হইল। আর কিছু পূর্ব্বে আমরা যেমন সোজা হইয়া স্থিরভাবে দাঁড়াইতে পারিতাম, এখন আর সায়ঙ্কালের কিছু পূর্বে—তেমন করি ডেকে বেড়াইতে পারিতেছি না, আমাদের মাথা একটু ঘুরিতে আরম্ভ করিয়াছে।'

সমুদ্রে পড়া মাত্রই সমুদ্রপীড়া বাড়তে শুরু করল। জাহাজের ডেকে ভারত মহাসাগরের বিখ্যাত ফ্লাইং ফিস জল ছেড়ে আনন্দের আবেগে উড়তে গিয়ে আছড়ে পড়তে লাগল। কেশববাবু ডায়েরিতে লিখলেন, 'এই দৃশ্য দেখিয়া আমার আরও এই জন্য আহ্লাদ হইল যে, পূর্ব্ব দিন মাছকে পাখি বলিয়া যে আমার কৌতুকাবহ ভ্রান্তি হইয়াছিল আজ সে ভ্রান্তির দিকে চক্ষু খুলিল।'

এরপরই সমুদ্রপীড়া শুরু হল। ডায়েরিতে লিখছেন, 'সন্ধ্যাকালে এক

ব্যক্তি—জাহাজের কোনো কর্ম্মচারী হইবেন—আমাদের ক্যাবিনে প্রবেশ করিয়া আমাদের সঙ্গে আলাপ করিলেন। আলাপের মাঝখানে তিনি কালীকমলবাবুর নাম জিজ্ঞাসা করিলেন। অমনি তৎক্ষণাৎ বিকৃত লাসিংটনি সুরে—সে বিকৃত সুর বর্ণন করিয়া বুঝান যায় না—কালীবাবু বলিয়া উঠিলেন—'কেলৈ কোমল গাঙ্গোলাই।' এই অদ্ভুত সুর যেই ভদ্রলোকটির কানে গেল, হো হো করিয়া হাসিতে হাসিতে তিনি আমাদের ক্যাবিন হইতে বাহির হইয়া গেলেন। কালীবাবুর ঠাট্টা তামাসা যদিও আমাদের অভ্যস্ত ছিল, তথাপি আমরাও খুব না হাসিয়া থাকিতে পারিলাম না।'

ডায়েরি থেকে জানা যাচ্ছে, কেশববাবুর ধাত হচ্ছে পিত্তপ্রধান। আয়ুর্বেদ শাস্ত্রে বলে, যাঁরা পিত্তপ্রধান তাঁরা ক্রিয়েটিভ। পিত্তপ্রধান হওয়ার ফলে সমুদ্রপীড়ায় তাঁর পিত্তপ্রকোপ আরও বেড়ে গেল। তিনদিন দরে এই অস্বস্তিতে ভুগলেন। কেশববাবুর ক্ল্যাসিফিকেশান ভারি সুন্দর। সমুদ্র পীড়াকে তিনটি ধাপে ভাগ করে লিখছেন, 'মন্দ', তার চেয়ে মন্দ, তার চেয়েও মন্দ—এই তিন শ্রেণীর সমুদ্রপীড়া। আমি দেবেন্দ্রবাবু ও সত্যেন্দ্রবাবু—এই তিনজন যথাক্রমে এই তিন শ্রেণীমধ্যে গণ্য হইতে পারি।'

ইতিহাস পুরুষ দেবেন্দ্রবাবু এবং সত্যেন্দ্রবাবু। কেশবচন্দ্রের ডায়েরিতে এঁদের অবস্থার বর্ণনা থেকে এইটিই বলা যেতে পারে—দুর্বার সমুদ্র পদমর্যাদা গ্রাহ্য করে না। ধনদৌলতের তোয়াক্কা রাখে না। ডায়েরিতে লেখা হল—'হায়, সত্যেন্দ্রবাবুর কি শোচনীয় অবস্থা হইয়াছে! তাঁহার গণ্ডস্থল ক্ষীণ হইয়াছে, মুখশ্রী পাণ্ডুর হইয়াছে, হস্তপদ চলচ্ছক্তিবিমুখ হইয়াছে, সকল শরীর ক্ষীণ নিস্তেজ হইয়া পড়িয়াছে। যখনই প্রাতরাশ মধ্যাহ্ন ভোজনের ঘণ্টা পড়ে, তখনই আমার বন্ধুর কেমন একটা ভয় উপস্থিত হয়, এবং একেবারে এলিয়ে পড়েন—যাঁহারা তাঁহাকে দেখেন তাঁহাদেরই মনে কৌতুক ও দুঃখ উভয় বিমিশ্র একটি ভাব উদিত হয়। এত সমুদায় অসুবিধা ও বিপরিবর্তনের মধ্যে কালীকমলবাবু কেমন আশ্চর্য্য রকম উৎসাহ যেমন তেমনি রাখিয়াছেন।

আমরা যত জন, তাহার মধ্যে তিনিই একটু অবসন্ন হন নাই। বোধহয়, তাঁহার এক প্রকারের ধাতু, যাহাতে কিছুতেই কিছু হয় না। তাঁহার সঙ্গে

অনেক সময়ে আমি ঠাট্টা তামাসা করি। আজ দুদিন হইতে ক্রমান্বয়ে ভয়ঙ্কর বৃষ্টি হইতেছে। সমুদ্রের জলের রং—গভীর নীল। আমার স্বভাবতঃ পিত্তপ্রধান ধাতু, সমুদ্রপীড়ায় আরও পিত্তপ্রধান ও উত্তেজিত হইয়া পড়িয়াছে। কখন কখন আমার ভয়ঙ্কর গরম বোধ হয়, সুতরাং সমুদ্রের ঠাণ্ডা বাতাসে গিয়া বসি, কিন্তু তবু শরীর ঠাণ্ডা হয় না। কেমন একটা আমার সমুদায় শরীরে জ্বালা বোধ হয়। ছোলা বরফী প্রভৃতি যাহা আমরা সচরাচর আহার করি, সেই খাদ্যই আমরা ঠিক রাখিয়াছি।'

মঙ্গলবার, অক্টোবরের চার তারিখ, কেশববাবুর ডায়েরি শুরু হচ্ছে একটি বিস্ময় দিয়ে। 'প্রাতঃকালে যখন আমরা স্নান করিতেছিলাম, তখন কালীকমলবাবু বলিয়া উঠিলেন—মাটি দেখা যাইতেছে, মাটি দেখা যাইতেছে! তিনি যাহা বলিলেন, আমার তাহাতে বিশ্বাস হইল না। সুতরাং চশমা পড়িলাম, এবং দেখিয়া আশ্চর্য হইলাম যে, আমরা ভূমির কাছ দিয়া যাইতেছি। কোথা দিয়া যাইতেছি, তাহার বিশেষ বৃত্তান্ত জানিবার জন্য কিছুক্ষণ পরে আমরা তাড়াতাড়ি ক্যাবিন হইতে বাহির হইয়া আসিলাম।'

চোখে দূরবীন লাগালেন, দূরে ওগুলো কি? স্পষ্ট হল—পর্বতশ্রেণি। কেশবচন্দ্রের জীবনে প্রথম পর্বতদর্শন। এ একটা দুটো পাহাড় নয়। পাহাড়ের সারি। পাহাড়ের ঢেউ বলা যেতে পারে। তটভাগ থেকে চালু হয়ে সমুদ্ররেখায় নেমে এসেছে। কেশবচন্দ্র লিখছেন—'এই পর্বতশ্রেণী অশেষ বলিয়া মনে হয়, কেননা, আমি এই দুইটার সময় লিখিতেছি, এখনও পর্বত শ্রেণীই দেখিতেছি। আহা, কী মনোহর, সুন্দর ভূখণ্ড সম্মুখে।' কেবল যে কতকগুলি উচ্চশিখর এক শৃঙ্খলে বান্ধা তাহা নহে, কিন্তু তিন-চারিটি শ্রেণী সমান্তরালরূপে একটি হইতে আর একটি কিছু দূরে সারি বান্ধিয়া চলিয়াছে। এবং দৃষ্টি হইতে যত দূরে তত অস্পষ্ট, আর যত নিকটে তত অতি স্পষ্ট, ঘোরাল বর্মবিশিষ্ট। দূরবর্তীগুলি এমনই ছায়ার মতো দেখায় যে, অনেক সময়ে দূরস্থ মেঘের সঙ্গে এক বলিয়া ভ্রম হয়। বস্তুতঃ যাহারা দূর হইতে দেখে, তাহাদিগের নিকটে পর্ব্বত মেঘের মতো দেখায় এবং দূরত্ব ও নৈকট্য অনুসারে ঘন ও লঘুভার মেঘের ভিতর যত প্রকারের ভিন্নতা দৃষ্ট হয়, ইহাতেও তাহাই দেখায়।

হে সর্ব্বশক্তিমান ঈশ্বর, তোমার করুণায় যে আমি ঈদৃশ গম্ভীর দৃশ্য সম্ভোগ করিতে পারিলাম, তজ্জন্য আমার হৃদয় তোমার প্রতি কৃতজ্ঞতায় উচ্ছ্বসিত হইতেছে। এই দৃশ্য এত আহ্লাদকর, এত মুগ্ধকর যে, খুব বিচিত্র বর্ণনও ইহার পক্ষে উপযুক্ত নহে। ভাষার দরিদ্রতা অপনয়ন জন্য আমি কালী দিয়া এই দৃশ্যের এটি চিত্র অঙ্কিত করিলাম। ওই চিত্র হইতে সকলে দেখিতে পাইবেন, পর্ব্বতশ্রেণীর নিম্নভাগে সারি বান্ধিয়া সুন্দর গুল্ম ও লতা জন্মিয়াছে, এবং সমুদ্র ও উহার মধ্যে, মনে হয় সিকতারেখা অবস্থিতি করিতেছে। নাগরিক লোক সকল, তোমাদের দুর্গন্ধজঞ্জালপূর্ণ প্রান্তভূমি এবং কারাগার-সদৃশ গৃহকুট্টিম হইতে বাহির হইয়া আইস এবং এই স্বর্গীয় দৃশ্যের সৌন্দর্য্য ও চাক্‌চিক্য অবলোকন কর। সমুদ্রের জল এখন সুন্দর গভীর সবুজ রং—কিন্তু দেখ, কয়েক হাত দূরে একটা সুস্পষ্ট রেখায় সবুজ ও নীল বর্ণের ভেদ দৃষ্ট হইতেছে। আমাদের সম্মুখের ভূমির নাম কি? আমাদের অভিলষিত সিংহলদ্বীপ? হাঁ, তাহাই বটে; আহা, কি অদ্ভুত ভাব আত্মাকে পূর্ণ করিল! একেবারে ভারতবর্ষ ছাড়িয়া আসিয়াছি! বঙ্গীয় অখাত পার হইয়া আসিয়াছি! যে ব্যক্তি এক সময়ে কলুটোলার কারাবাসে বদ্ধ ছিল, যাহার চিন্তা তুচ্ছ বিষয়ে ব্যাপৃত ছিল, উত্তরপাড়া বা বর্দ্ধমানে যাওয়াই যাহার পক্ষে গুরুতর সাহসিক কার্য ছিল, সেই আমিই কি ভারতবর্ষ এবং তাহার অসংখ্য নগর, নদী ও পর্ব্বত সমুদায় ছাড়িয়া আসিয়াছি? যথার্থই আমার হৃদয় উচ্ছ্বসিত এবং আত্মা অতীব আহ্লাদিত হইয়াছে। এরূপ সাহসিক দেশভ্রমণে আত্মার নিজের মহত্ত্ব অনুভবগোচর হয়। সমুদায় দিন ভূমিই দেখিতে লাগিলাম। রাজনী উপস্থিত, তথাপি আমাদের গম্যস্থান গল দেখিতে পাইলাম না। আগামী কল্য পঁহুছিবার আশায় আমরা উপাধান আশ্রয় করিলাম।'

কেশবচন্দ্র এ ভ্রমণ কাহিনিতে কোনো খুঁটিনাটি বাদ দেননি। জীবনের প্রথম সমুদ্র ভ্রমণ ও প্রথম ডায়েরি। নিষ্ঠার কোনও অভাব নেই। কারণ তিনি বালকের মতো উল্লসিত। কলিকাতার গৃহখাঁচা ছেড়ে পাখির মতো উড়ে এসেছেন লঙ্কাদ্বীপে। পরের দিনের ডায়েরি শুরু হচ্ছে বুধবার, ৫ অক্টোবর।

'রাত্রি দুইটার সময়ে সিংহলদ্বীপের দীপস্তম্ভের নিকটবর্তী হইলে,

আমাদের জাহাজ হইতে কামান ছোড়া হইল। আমি এ সময়ে গভীর নিদ্রায় ছিলাম, এ কথা আমি লোকের মুখে শুনিয়া লিখিতেছি। ৬টা ৪৫ মিনিটের সময় নঙ্গর করার শব্দ আমাদের কর্ণে আসিল। গা ধুইয়া আমরা আমাদের কাপড় ও অন্যান্য সামগ্রী বান্ধিলাম, এবং জাহাজ ছাড়িয়া যাইতে প্রস্তুত হইলাম। অনন্তর আমরা ডেকের উপরে গমন করিলাম, সেখানে গিয়া কি বিচিত্র মনোহর ভূখণ্ড আমাদের সম্মুখে দেখিতে পাইলাম। কোথাও নারীকেলবন—কোথাও সমুদ্রের উত্তাল তরঙ্গ অন্তিম তরঙ্গে প্রচণ্ডাঘাত করিয়া কখন কখন অদ্ভুত উচ্চতায় উত্থান করিতেছে, —কোথাও বিবিধ প্রকারের বৃক্ষশ্রেণী পরিশোভিত প্রশস্ত উচ্চ স্তূপ দেখা যাইতেছে,—কোথাও দুর্গসম্মুখীন বন্ধুর এবং বিস্তৃত প্রাচীন শিলোচ্চয় অবস্থিতি করিতেছে। আমাদিগের চারিপাশে সিংহলী লোকদিগের কর্ত্তৃক পরিচালিত অদ্ভুত গঠনের ছোট বড় নৌকা—কতকটা আমাদের দেশীয় ডোঙ্গার মতো—প্রশস্ত সমুদ্রবক্ষে ভাসিতেছে। দূর হইতে দেখিলে মনে হয়, যেন কতকগুলি দীর্ঘকায় জলজন্তু জলের উপরিভাগে সন্তরণ করিতেছে। এই সকল নৌকার এই একটি বিশেষত্ব যে, তিনটি স্থূল এবং বন্ধুর কাষ্ঠখণ্ড চতুষ্কোণের তিন পার্শ্বে আকারে নৌকার মধ্যভার ঠিক রাখিবার জন্য উহার একদিকে বান্ধা রহিয়াছে। আমরা এই নৌকার একখানি ভাড়া করিলাম এবং আমাদিগের জিনিসপত্র উহাতে তুলিয়া স্থলাভিমুখে প্রস্থান করিলাম। যেখানি আমরা ভাড়া করিয়াছিলাম, সেখানি দেখিতে ভালো এবং একটু প্রশস্ত। যেই আমরা কূলে গিয়া উপস্থিত হইলাম, অমনি কতকগুলি সিংহলী ছোট লোক আসিয়া ঝুঁকিয়া পড়িল। কোন এরূপ করিয়া ঝুঁকিয়া পড়িল, ইহারা কে, আমরা কিছুই বুঝিয়া উঠিতে পারিলাম না; আমরা বিস্মিত এবং হতবুদ্ধি হইয়া নৌকা ছাড়িয়া ডাঙ্গার সঙ্গে সংলগ্ন প্রশস্ত মঞ্চোপরি গিয়া দাঁড়াইলাম, এইমঞ্চই অবতরণ করিবার স্থান। পূর্ব্বোক্ত লোকগুলি চক্ষুর নিমেষে আমাদের জিনিস পত্র নৌকা হইতে তুলিয়া, ওই সকল লইবার জন্য সেখানে যে দুখানি গাড়ি ছিল, তাহার উপরে রাখিয়া দিল; তখন বুঝিতে পারিলাম, উহারা কুলি। এই গাড়ি সামান্য রকমের এবং ইহার গঠনও বিচিত্র প্রকার, মানুষে টানে। আমরা গিয়া 'কষ্টম হাউসে' দাঁড়াইলাম—ইটি অন্ধকারাচ্ছন্ন অতি মলিন

পুরাতন গৃহ। দুজন তিনজন চাপরাসী আছে, আর কতকগুলি ফিরিঙ্গী; তাহারা মধ্যে মধ্যে পরস্পর কথাবার্তা করিতেছে, কিন্তু তাহাদের ভাষা, আমাদের নিকটে হিব্রু। কালীকমলবাবু এবং সত্যেন্দ্রবাবুর প্রতীক্ষায় আমরা সেখানে রহিলাম। তাঁহারা নৌকায় স্থান নাই বলিয়া স্টিমারেই রহিয়াছেন ; আমরা যে নৌকায় আসিলাম, সেই নৌকা আবার একবার গিয়া তাঁহাদিগকে আনিবে। ইতোমধ্যে একজন মান্দ্রাজদেশীয় ভদ্র লোক, যিনি কয়েক বৎসর পূর্বে বঙ্গদেশে গিয়াছিলেন এবং বোধ হইল, দেবেন্দ্রবাবুকে চেনেন, আমাদের নিকটে আসিয়া সম্ভাষণ করিলেন এবং আমাদের সঙ্গে আলাপ করিতে লাগিলেন। অনেক রকমের লোক আমাদিগের নিকেট আসিতে লাগিল এবং সে সকল লোকের মধ্যে কেহ কেহ কোনো কোনো হোটেলের দালালও ছিল। রাস্তাতেও অনেক লোক জমা হইয়াছে। আমাদের বন্ধুদ্বয় আসিবা মাত্র গলদুর্গের প্রকাণ্ড দ্বার দিয়া আমরা একটি হোটেলে চলিলাম—দুর্গটি অতি প্রাচীন, জীর্ণ, যত দূর সম্ভব দেখিতে ভীষণ, উহাতে শিল্পসম্পর্কীয় কোনো সৌন্দর্য্যই নাই। দুজন দালাল আমাদের সঙ্গে সঙ্গে চলিয়াছে এবং নিজ নিজ সংসৃষ্ট হোটেলে লইয়া যাইবার জন্য দুজনের মধ্যে ঝগড়া চলিতেছে। প্রথমতঃ মেস্তর এড্ডাইম্‌সের হোটেলে গেলাম, সেখানে স্থান না থাকাতে মেস্তর এস্‌ বার্টনের 'রয়াল হোটেলে' চলিলাম। যথার্থই রয়াল হোটেল (রাজকীয় পান্থনিবাস)! ইহার বিস্তৃত বর্ণনা নিষ্প্রয়োজন। এইমাত্র বলিলেই প্রচুর যে, উহা ঘিঞ্জি, নিম্নছাদ, কুৎসিতরূপে সজ্জিত গৃহকুট্টিম, ভাঙা দ্বার জানালা, ক্ষুদ্র অপরিষ্কৃত প্রাঙ্গণ, প্রাঙ্গণের এখানে ওখানে ছড়ান পচা খাদ্যসামগ্রী, কতকগুলি সামান্য জীর্ণ রকমের গৃহসামগ্রী; এই সকল সহজে এই সিদ্ধান্তে উপস্থিত করে যে, লালবাজারের সামান্য 'চপ হউস' এবং 'রয়াল হোটেলে'র মধ্যে একটুও প্রভেদ নাই। যাহা হউক, আমরা হোটেলের মালিকের সঙ্গে বন্দোবস্ত করিলাম এবং স্থান লইলাম। এখানে একটি বিষয়ের উল্লেখ করা যাইতে পারে, সে বিষয়টি আমাদিগকে নিতান্ত আশ্চর্য্যান্বিত করিয়াছে—বিষয়টি পারিশ্রমিকের! অতিমাত্র উচ্চ দর। পশ্চাদুক্ত ঘটনাগুলিতে উহা সহজে সকলের হৃদয়ঙ্গম হইবে। কূলে আসিয়া নৌকার মাঝিকে নৌকা ভাড়ার কথা জিজ্ঞাসা করা গেল, সে

প্রতিবারে যাতায়াতে দেড় টাকা চাহিল। আমরা অত্যন্ত আশ্চর্যান্বিত হইলাম, কিন্তু আমাদিগকে দুবারের জন্য তিন টাকা বিনা আপত্তিতে দিতে হইল। তাহার পর যে গাড়িতে জিনিসপত্র আনিয়াছিল, ওই গাড়ি কয়েক হাতমাত্র দূরে আসিয়াছিল, উহার ভাড়াও বিলক্ষণ বেশি দিতে হইল। কিন্তু সর্বাপেক্ষা প্রধান একটি টিনের ক্ষুদ্র নস্যধানী ক্রয়। উহার মূল্য কলিকাতায় দু'পয়সা, আমাদিগকে ইহার জন্য ছয় আনা দিতে হইল। আমাদের খাদ্যসামগ্রী আমরা নিজেই প্রস্তুত করিব মনে করিয়া, হোটেলের মালিকদের সঙ্গে আমরা কেবল বাসার বন্দোবস্ত করিলাম। বিদেশে সম্পূর্ণ অপরিচিত লোকদিগের মধ্যে আসিলে যে একটা মনের উত্তেজিতাবস্থা উপস্থিত হয়, সেটা একটু কমিলে, সুখাদ্য খিচুড়ী রন্ধন করিয়া লইব মনে করিয়া, আমরা চাল দাউল, আলু প্রভৃতি আনিবার জন্য বলিলাম। আমি রান্ধনী হইলাম এবং কালীকমলবাবু আমার যোগাড়দার হইলেন। কাষ্ঠ, মসলা, হাঁড়ী প্রভৃতি সব আনা হইল এবং আমরা পাক করিতে প্রবৃত্ত হইলাম। আমরা—বিশেষতঃ আমি—অতি অবিচারে অবিবেচকের কাজ আরম্ভ করিয়াছিলাম। রন্ধনশালাটী বঙ্গদেশের চাষাদের খড়ের কুঁড়ে অপেক্ষা কিছু ভালো নয়; অল্প সময়ের মধ্যে উহা ধোঁয়ায় পূর্ণ হইয়া গেল। যে দাউল আমরা আনাইয়াছিলাম, উহা পাথরের মতো শক্ত। এত শক্ত যে, পুরো তিন ঘণ্টা গেল, তবু নরম হইল না। এ ছাড়া আরও অনেক প্রকারের অসুবিধা উপস্থিত হইল। ফলে কি দাঁড়াইল? চারি ঘণ্টা অতিকঠিন পরিশ্রমের পর অতিবিস্বাদু, যত দূর সম্ভব এক বিচিত্র আহার্য্যসামগ্রী প্রস্তুত হইল, চাউল, দাউল ও আলুর একটা দৈবাধীন পাঁচমিশালি। প্রবৃত্তি হয় না, অথচ বাধ্য হইয়া উহাই খাইতে হইল। এই অবিবেচনার কার্য্য সর্বাপেক্ষা আমার মনে অধিক কষ্ট দিল। আমার শক্ত মাথা ধরিল—সমুদায় শরীর ভয়ানক গরম হইল—নাড়ীতে জ্বরের বেগ উপস্থিত। কি যে আমার কষ্ট বোধ হইতেছে, তাহা বর্ণন করিতে পারি না। সমুদ্রের বায়ু অন্য সময়ে খুব ভালো লাগে, এখন বড়ই ঠাণ্ডা বোধ হইতে লাগিল এবং অসাধারণ কষ্ট উপস্থিত হইল। আমি বিছানায় গিয়া শুইলাম, এবং খুব গরম কাপড় চাপাইলাম। আশা, নিদ্রা গেলেই কষ্ট কমিবে।'

জাহাজে বসে সিংহলের তটভূমির ছবি এঁকেছিলেন কালি দিয়ে। সেই ছবিটি কোথায়? নিশ্চয়ই ব্রাহ্মসমাজের লাইব্রেরিতে সংরক্ষিত আছে। তিনি বলছেন, বর্ণনায় ভাষা যেখানে পৌঁছাতে পারেনি, এই চিত্র দর্শনে সে অভাব পূর্ণ হবে। অর্থাৎ নিজেই নিজের ছবির সার্টিফিকেট দিয়ে রেখেছেন। কলুটোলার বাড়িতে পিতামহ শেষবেলায় স্বপাক আহার করতেন। সেই সাত্ত্বিক উত্তরাধিকার কেশবচন্দ্রও পেয়েছেন। কিন্তু শ্রীলঙ্কায় তাঁর রন্ধন নৈপুণ্য তেমন প্রকাশিত হয়নি। ব্যঙ্গ-বিদ্রূপ করেছেন। সে রাতে অসুস্থ হয়ে শয্যাগ্রহণ করেছেন—রান্নার এমনিই তামাসা। এই ভ্রমণের উদ্দেশ্য কোনও ধর্মপ্রচার নয়। মহর্ষি দেবেন্দ্রনাথ ভ্রমণ বিলাসী মানুষ। তিনি কোথায় না গেছেন। ভারতের শেষ ভূখণ্ডটি মূল দেহ থেকে বিচ্ছিন্ন হলেও নানা কারণে খুবই 'স্ট্র্যাটেজিক'। ইংরেজ সরকার এটিকে ভারত সাগরে একটি শক্তিশালী ঘাঁটি করে তুলতে চান। যুদ্ধ ও দেশ রক্ষার কারণে। এই ভূখণ্ডেই আমাদের শ্রেষ্ঠ পুরাণের কাহিনি রামায়ণ সমাপ্ত হয়েছিল শ্রীরামচন্দ্রের লঙ্কাবিজয় পর্বে। এই যুদ্ধের পর মা জানকীর ভাগ্য ফেরেনি। শ্রীরামচন্দ্রও ক্রমশ ভারতপটে ঝাপসা হতে শুরু করেছিলেন। এই ভূমিতেই বৌদ্ধধর্মের প্রজ্ঞাপারমিতা পর্যায়ের বিকাশ। এখানকার মানুষের চেহারা, ভাষা, খাদ্যাভ্যাস—মূল ভূখণ্ডের মতো নয়। বেশিরভাগই বৌদ্ধ। খ্রিস্টানের সংখ্যাও কম নয়। কারণ এই সামুদ্রিক ঘাঁটিতে পাদ্রীরা ছিলেন অতিশয় তৎপর। সপার্ষদ দেবেন্দ্রনাথ এই দ্বীপটিকে জানতে এসেছিলেন।

শনিবার, আট অক্টোবর, এই দিন কেশবচন্দ্র নিজেদের একটু ভালো অবস্থায় আবিষ্কার করলেন, তাঁরা একটু ভালো হোটেলে চলেছেন। ডায়েরিতে সেই আশার কথাই পাওয়া যাচ্ছে—

'মেস্তর বার্টনের সঙ্গে হিসাবপত্র পরিষ্কার করিয়া, সি-ভিউ হোটেলে যাইবার জন্য গাড়িতে জিনিসপত্র বোঝাই করা গেল। রয়াল হোটেলে যে সকল ব্যক্তির সঙ্গে আমাদের ব্যবহার করিতে হইয়াছিল, তন্মধ্যে দুজন ব্যক্তির কথা উল্লেখ করিবার উপযুক্ত—হোটেলের মালিক এবং আর এক ব্যক্তি মেস্তর জন। প্রথম ব্যক্তি বৃদ্ধ, কৌতুকী, গণ্ডদেশ লোলচর্ম্ম, নয়ন ক্ষুদ্র ক্ষুদ্র, মধ্যে মধ্যে আমাদিগের সঙ্গে নানা বিষয়ে

আলাপ করিয়া আমাদিগকে পরিতুষ্ট করিতেন। দ্বিতীয় ব্যক্তি লঘুকায়, ক্ষীণাকৃতি, কৃষ্ণবর্ণ ইউরেষিয়ান। ইঁহার সাহিত্যে দক্ষতা এই পর্যন্ত যে, ইনি চিনাবাজারের ইংরেজি বলিতে পারেন। হা! হা! তিনি এইরূপ ইংরেজি কথা ব্যবহার করেন, 'They goes' 'we goes'। আমরা যে হোটেলে আসিলাম, এ হোটেল অতি সুন্দর, ইংরেজি রকমের সকল বন্দোবস্ত এবং সকল প্রকারেই সুবিধা ও সুখকর। এখান হইতে জমকাল সমুদ্রের দৃশ্য—আমার বলা উচিত ছিল, মহাসাগরের দৃশ্য—দেখিতে পাওয়া যায় ; কেননা ইহা বিস্তৃত 'ভারতসাগর' সম্মুখীন করিয়া অবস্থিত। সমুদ্র এবং হোটেলের মধ্যভাগে সৈকতাভূমি। সুতরাং আমোদজনক পরিভ্রমণের পক্ষে বিলক্ষণ সুবিধা আছে। হোটেলরক্ষককে অতি ভদ্র বলিয়া মনে হয়। তৃপ্তিকর প্রাতরাশ মধ্যাহ্নভোজন আমরা ভোজন করিয়া থাকি। ভাত, আলু, তরকারি, দুগ্ধ এবং চিনি ইহাই আমার প্রধান খাদ্য। কলিকাতা ছাড়ার পর, মনে হয়, এই আমি প্রথম তৃপ্তিকর খাদ্য পাইলাম।''

রবিবার, নয় অক্টোবর যে ডায়েরি লিখলেন তাতে দেখা যাচ্ছে সিংহলের জনজীবন, ধর্মসংস্কৃতি, কুসংস্কার, বিশ্বাস, অবিশ্বাস ইত্যাদির ওপর আলোকপাত রয়েছে। এই ভ্রমণের অবশ্যই এটি জ্ঞাতব্যবিষয়।

''আমরা বুধবার হইতে সিংহলে আছি, অথচ এখনও এ দেশীয় লোকের আচার ব্যবহার কিছুই জানিতে পাই নাই। আমাদের কৌতূহল অতিপ্রবল। আমরা জানি না, কোথায় যাইব, কাহাদের সঙ্গ করিব। প্রাতঃকালে হোটেলরক্ষক মেস্তর এফ্রাইম্স সিংহলীদিগের আচার ব্যবহারের কিছু কিছু অবগত করিয়া আমাদিগের কৌতূহল চরিতার্থ করেন। দেশীয় জনসাধারণ সমন্ধে তাঁহার মত বড় ভালো নয়, তবে দুজন দেশীয় উকিলের বুদ্ধি ও গুণের বিষয়ে তিনি খুব প্রশংসা করেন। দেশীয় লোকদিগের মধ্যে অনেকে শিক্ষা বিষয়ে বিলক্ষণ উন্নতি লাভ করিয়াছেন, ইহা তিনি বলেন। সিংহলিগণের ভূত প্রেতে প্রবল বিশ্বাস। কোনো কঠিন ব্যারাম উপস্থিত হইলে উহারা এক প্রকার অনুষ্ঠান করে, তাহাকে 'ভূতের নাচ' বলে। ইহার অর্থ এই যে, তাহারা প্রায় সমুদায় রাত্রি রোগীকে খোলা বাতাসে রাখিয়া দেয়, এবং ভয়ানক চীৎকার করে; এ চীৎকারের অর্থ সম্ভবতঃ ভূতের আবির্ভাবপ্রকাশক। মেস্তর এফ্রাইম্স বলেন, দশটির মধ্যে

নয়টি রোগী ইহাতে মরিয়া যায়। তিনি বৌদ্ধ পুরোহিতগণ সম্বন্ধে আমাদিগকে কিছু কিছু অবগত করিলেন এবং বলিলেন, যদিও তাঁহারা অনেক সময়ে বিবাহ করেন না, কিন্তু ভয়ানক দুরাচারের কার্য্য করিয়া থাকেন। প্রাতরাশ এবং মধ্যাহ্ন ভোজন উভয়ই উৎকৃষ্ট, আহারের বিরুদ্ধে আমাদের আর কিছু বলিবার নাই। দেবেন্দ্রবাবু শয্যাশায়ী, তাঁহার নাড়ীতে কিঞ্চিৎ জ্বরবেগ উপস্থিত। আর সকলের স্বাস্থ্য সম্বন্ধে কিছু স্পষ্ট করিয়া বলা দায়।..... আমাদের ক্ষুধার উদ্রেক তত স্পষ্ট বুঝায় না, কিন্তু যখন আমরা আহারের সমীপবর্তী হই, তখন খুব পেট ভরিয়া খাই। এ সকল সত্ত্বেও শরীরে তেজ উৎসাহ স্ফূর্তি নাই। আমরা তটভূমিতে বিলক্ষণ বেড়াই এবং প্রচুর পরিমাণ সমুদ্রবায়ু সম্ভোগ করি। যখন উচ্চ তটভূমিতে দাঁড়াইয়া সাগরের উপরে নয়ন নিক্ষেপ করি, আমার অধিকৃত স্থানসম্বন্ধে মনে অভিমান উপস্থিত হয়।”

ডায়েরি এরপর দিন ধরে ধরে নানা ঘটনার মধ্যে দিয়ে এগিয়ে চলেছে। চারজনের এই দল শ্রীলঙ্কার বিভিন্ন দর্শনীয় স্থান ও জনজীবন প্রত্যক্ষ করতে করতে বিভিন্ন অভিজ্ঞতা সংগ্রহ করে ক্রমশই পরিণতির দিকে এগিয়েছে। এরমধ্যে সোমবার, ১০ অক্টোবরের ডায়েরিতে সুন্দর একরাশ ঘটনা পাওয়া যাবে। সেটি উদ্ধৃত করা অবশ্যই প্রয়োজন—

“প্রাতরাশ এবং মধ্যাহ্নভোজন পূর্ব্বের মতো হৃদ্য এবং সুখকর। আমি কখন আশা করিতে পারি নাই যে, সিংহলে আমার জন্য ইংরেজি হোটেলে প্রতি প্রাতে এবং সায়ঙ্কালে নিয়মিতরূপে বেগুন, আলু ও বিলাতী কুমড়ার ব্যাঞ্জন প্রস্তুত হইবে। যখন এগুলি তরকারি এবং প্রচুর পরিমাণ ভাত পাই, তখন আমার অবস্থা মনে করিয়াই লইতে পার। উঃ! আমি ভূতের মতো খাই। প্রাতরাশের পর আমরা গাড়ি চড়িয়া ‘সিনামন গার্ডেনে’ বেড়াইতে গেলাম। গাড়ি অত্যন্ত হালকা। অশ্বগুলি খুব বলিষ্ঠ এবং অতি দ্রুতবেগে যায়; এত দ্রুত যায় যে, আমাদের সমুদায় পথে এই ভয়, কি জানি বা আমাদিগকে গুঁড়ো করিয়া ফেলে। উঃ! আমরা রেলওয়ের গতিতে গাড়ি হাঁকাইয়া চলিলাম। উদ্যানে পঁহুছিয়া—উদ্যানটি আমাদের হোটেল হইতে প্রায় চারি মাইল দূরে—আমরা এ দিক্ ও দিক্ বেড়াইতে লাগিলাম এবং এ দেশে কি কি জাতীয় বৃক্ষ জন্মিয়া থাকে, তাহা নির্দ্ধারণ

করিতে প্রবৃত্ত হইলাম। আমাদের সঙ্গে একজন ভদ্র ইওরোপীয় আছেন, তিনি উদ্যানস্থ প্রধান প্রধান ক্ষুদ্র ও বৃহৎ বৃক্ষের বিশেষ বৃত্তান্ত বুঝাইয়া দিতে লাগিলেন। আমরা এই সকল বৃক্ষ দেখিতে পাইলাম—দারুচিনি, কাঁঠাল, বেডফ্রুট, চিনা, মেরগোজা, আম্র, দাড়িম্ব ইত্যাদি ইত্যাদি। উল্টাডিঙ্গীর কেনালের অপেক্ষা বড় প্রশস্ত নয়, গিন্দেরা নামক একটি নির্ম্মলসলিলা ক্ষুদ্র নদী উদ্যানের এক দিক্ দিয়া বহিয়া যাইতেছে। তাহারা বলিল, এই নদী কুম্ভীরপূর্ণ এবং সেই জন্য বাগানের ধারে নদীর কতকটা বেড়া দেওয়া আছে যে, লোকে নির্বিঘ্নে স্নান করিতে পারে। আমরা একটি কুম্ভীরের ছাল গাছে ঝুলান দেখিলাম। তাহারা বলিল, ইটিকে ওই নদীতে আর এক দিন চক্ষে গুলি মারিয়া মারা হইয়াছে। আমরা যখন বাগানে বেড়াইতেছিলাম, কতকগুলি সিংহলী বালক অনেকগুলি লাঠি হাতে করিয়া আমাদিগের নিকটে আসিল এবং চীৎকার করিয়া বলিতে লাগিল 'সিনামন স্টিক্‌স, সার, বেরিগুড স্টিক্‌স, সার,' (Cinnamon sticks, Sir, Very good sticks, Sir.) এই বলিয়া তাহাদিগের হাতে যে একখানি ছুরি আছে, তাহা দিয়া লাঠি চাঁচিয়া আমাদের নাকের কাছে ধরিল এবং খুব চালাকীর সঙ্গে বলিতে লাগিল, 'স্মেল লুক, স্মেল লুক, সার' (Smell look, smell look, Sir.)। উঃ! এই ছেলেগুলি বড়ই বিরক্তিকর, তাহারা কয় ঘণ্টা যাবৎ ক্রমান্বয়ে বিরক্ত করিতে লাগিল। অহো দিব্যলোক, আমরা জানি না, কি করিয়া ইহাদিগকে দূর করিয়া দিব। কিঞ্চিৎ জলযোগ করিয়া আমরা হোটেলে রওয়ানা হইলাম। রাস্তার ধারে একটি বুদ্ধমন্দির ছিল, তাহা দেখিবার জন্য আমরা পথে থামিলাম। ঘরের ভিতরে একটি প্রকাণ্ড বুদ্ধমূর্ত্তি আমাদিগকে দেখান হইল। এই বৃহৎ মূর্ত্তির দুপাশে দুইটি মূর্ত্তি আছে, মুখের গঠনে দেখিতে ঠিক একই প্রকার, তবে তদপেক্ষা লঘু ও ক্ষীণকায়। এটি বুদ্ধত্রিমূর্ত্তি—কশ্যপ, গোতম এবং কোণাগম। প্রাচীরে অনেকগুলি প্রতিমূর্ত্তি আছে, তন্মধ্যে বিষ্ণু ও ব্রহ্মার প্রতিমূর্ত্তি বৃহৎ ও সর্বপ্রধধান। এক রকম ভাঙা সংস্কৃতে আমরা তত্রত্য পুরোহিতের সহিত বৌদ্ধধর্ম্ম সম্বন্ধে অনেকক্ষণ কথাবার্তা কহিলাম। আমাদের কথা এবং বৌদ্ধ পুরোহিতের কথা পরস্পর বুঝিতে অনেক কষ্ট হইল, এবং ইহাতে কি লাভ হইল? কতকগুলি সামান্য অসম্পূর্ণ ইঙ্গিতমাত্র, যাহার

উপরে ধর্ম্মের বিশ্বাসযোগ্য বিবরণ বলিয়া কিছুতেই নির্ভর করিতে পারা যায় না। আমাদের অনেকগুলি প্রশ্ন ও জিজ্ঞাসার উত্তরে পুরোহিত মাথা ঝুঁকাইয়া বলিলেন, 'এবম্'। কখন কখন চক্ষু মুদ্রিত করিয়া বলিলেন, 'নাস্তি'। কখন কখন তিনি তূষ্ণীম্ভাব অবলম্বন করিয়া কেবল আমাদিগের দিকে বিস্মিতনয়নে দৃষ্টি করিতে লাগিলেন। তিনি কহিলেন, বুদ্ধগণ নির্ব্বাণ ভিন্ন আর কিছুই সার সত্য নিত্য বলিয়া স্বীকার করেন না। এতদ্বারা তিনি আমাদিগকে এই বুঝাইলেন, বিনাশই সত্য পদার্থ। এতদ্বারা আমাদিগের মনে শূন্যবাদীর মতো উপস্থিত হইল, যে মতে শূন্যই—সকল এবং সকলই—কিছুই নয়। মাংসভোজনের বিরুদ্ধে তিনি বিলক্ষণ প্রতিবাদ করিলেন বটে, কিন্তু তাঁহার মত এই প্রতীত হইল যে, তাঁহার মতো ব্যক্তিগণের (পুরোহিতসকলের) মাংসভোজন বিধিসিদ্ধ কেবল নিজ হস্তে বধ না করিলেই হইল। এরূপ মাংসভোজননিষেধে ফল কি, যাহাতে পুরোহিতগণেরও নিষ্কৃতির সূক্ষ্ম পথ আছে?

বড় অদ্ভুত বিধি! প্রাচীরে চিত্রিত অনেকগুলি মূর্ত্তির মধ্যে নরকস্থ পাপীর অবস্থা চিত্রিত আছে। উহাকে ঊর্ধ্ব পদ করিয়া নরকাগ্নিতে দগ্ধ করা হইতেছে, এবং দুটি রাক্ষস ভীষণ তীক্ষ্ণ ছুরিকাযোগে তাহার শরীর হইতে মাংস কর্ত্তন করিয়া লইতেছে। উঃ কি ভয়ঙ্কর দৃশ্য! মন্দিরের নানা ভাগ দর্শন করিয়া আমরা সেই পুরোহিতকে প্রধান পুরোহিতের সঙ্গে সাক্ষাৎ করাইয়া দিতে অনুরোধ করিলাম। সে ব্যক্তি এত বেশি কাল এবং দেখিতে এমন অভব্য যে, একজন হাব্সী হইতে তাঁহাকে কিছুতেই ভেদ করিতে পারা যায় না। আমাদিগকে বসিতে বলা হইল—আমরা অনেকক্ষণ পর্যন্ত বসিয়া রহিলাম, কিন্তু প্রধান পুরোহিত একবারও মুখ খুলিলেন না। যতগুলি প্রশ্ন আমরা জিজ্ঞাসা করিলাম, সকলেরই উত্তর—নিরুত্তর। সংস্কৃতে অনভিজ্ঞ বলিয়া উত্তর দিলেন না, অথবা নিরর্থক গাম্ভীর্য্য রক্ষার অভিপ্রায়ে এরূপ হইল, আমরা ইহার কিছুই বুঝিয়া উঠিতে পারিলাম না। এ কথা নিশ্চয় যে, যতক্ষণ ছিলাম, ততক্ষণ তাঁহাকে বেশ গম্ভীর দেখা গেল। আর কিছু দেখিবার নাই, সুতরাং আমরা হোটেলে ফিরিয়া আসিলাম।"

বৌদ্ধধর্ম গুলে খেয়েছিলেন স্বামী বিবেকানন্দ। দীর্ঘকাল ধরে যে ধর্মের

প্রবাহ পৃথিবীর একটা বিরাট অংশকে আচ্ছন্ন করে ফেলেছিল, সেই প্রবল শক্তিশালী ধর্মের করুণ পরিণতির কথা স্বামী বিবেকানন্দকে অত্যন্ত পীড়া দিয়েছিল। স্বামী অখণ্ডানন্দজিকে একটি দীর্ঘ পত্রে এর অতি সুন্দর ব্যাখ্যা তিনি রেখে গেছেন। অখণ্ডানন্দজি সদ্য তিব্বত ভ্রমণ করে ভারতে প্রবেশ করেছেন। তিব্বত সম্পর্কেও স্বামীজির কি অসাধারণ জ্ঞান। স্বামী অখণ্ডানন্দের সঙ্গে পরিব্রাজক জীবনের প্রথম দিকে তাঁর তিব্বত ভ্রমণের ইচ্ছা হয়েছিল। কিন্তু পরিস্থিতি অনুকূল হয়নি। স্বামীজি বলছেন, তিব্বত কখনই ম্লেচ্ছ ভূমি নয়। সংস্কৃতে তিব্বতকে 'উত্তরকুরুবর্ষ' বলে। পৃথিবীর সবচেয়ে উঁচু ভূমি। সেই কারণেই অত শীত। তিব্বতের সেই উচ্চভূমির বৌদ্ধধর্ম আর ভারতের একেবারে নীচের অংশে শ্রীলঙ্কার বৌদ্ধধর্মের মধ্যে আকাশ-পাতাল তফাত। তা কেন! স্বামীজির তুলনা স্বামীজি। বিশ্বের এক 'ইন্টেলেকচুয়াল জায়ান্ট'। তন্ত্রে কথা বলছেন। তিব্বতের তন্ত্র ভাঙা বৌদ্ধধর্ম। বৌদ্ধধর্মের শেষ দশা। ভারতবর্ষেই ঘটেছিল। তিনি লিখছেন—

'আমার বিশ্বাস যে, আমাদিগের যে সকল তন্ত্র প্রচলিত আছে, বৌদ্ধেরাই তাহার আদিম স্রষ্টা। ওই সকল তন্ত্র আমাদিগের বামাচারবাদ হইতে আরও ভয়ঙ্কর (উহাতে ব্যভিচার অতি মাত্রায় প্রশ্রয় পাইয়াছিল) এবং ওই প্রকার immorality (চরিত্রহীনতা) দ্বারা যখন (বৌদ্ধধর্ম) নির্বীর্য হইল, তখনই (তাহারা) কুমারিল ভট্ট দ্বারা দূরীকৃত হইয়াছিল। যে প্রকার সন্ন্যাসীরা শঙ্করকে ও বাউলরা মহাপ্রভুকে secret (গোপনে) স্ত্রীসম্ভোগী, সুরাপায়ী ও নানাপ্রকার জঘন্য আচরণকারী বলে, সেই প্রকার modern (আধুনিক) তান্ত্রিক বৌদ্ধেরা বুদ্ধদেবকে ঘোর বামাচারী বলে এবং 'প্রজ্ঞাপারমিতো'ক্ত তত্ত্বগাথা প্রভৃতি সুন্দর সুন্দর বাক্যকে কুৎসিত ব্যাখ্যা করে; ফল এই হইয়াছে যে, এক্ষণে বৌদ্ধদের দুই সম্প্রদায়; বর্মা ও সিংহলের লোক প্রায় তন্ত্র মানে না ও সেই সঙ্গে সঙ্গে হিন্দুর দেবদেবীও দূর করিয়াছে এবং উত্তরাঞ্চলের বৌদ্ধেরা যে 'অমিতাভ বুদ্ধম্' মানে, তাঁহাকেও ঢাকীসুদ্ধ বিসর্জন দিয়াছে। ফল কথা এই, উত্তরের লোকেরা যে 'অমিতাভ বুদ্ধম্' ইত্যাদি মানে, তাহা 'প্রজ্ঞাপারমিতা' দিতে নাই, কিন্তু দেবদেবী অনেক মানা আছে। আর দক্ষিণীরা জোর করিয়া

শাস্ত্র লঙ্ঘন করিয়া দেবদেবী বিসর্জন করিয়াছে। যে everything for others ('যাহা কিছু সব পরের জন্য'—এই মত) তিব্বতে বিস্তৃত দেখিতেছ, ওই phase of Buddhism (বৌদ্ধধর্মের ঐ ভাব) আজকাল ইওরোপকে বড় strike করিয়াছে (ইওরোপের বড় মনে লাগিয়াছে)। যাহা হউক, ওই phase (ভাব) সম্বন্ধে আমার বলিবার অনেক আছে, এ পত্রে তাহা হইবার নহে। যে ধর্ম উপনিষদে জাতিবিশেষে বদ্ধ হইয়াছিল, বুদ্ধদেব তাহারই দ্বার ভাঙিয়া সরল কথায় চলিত ভাষায় খুব ছড়াইয়াছিলেন। নির্বাণে তাঁহার মহত্ত্ব বিশেষ কি? তাঁহার মহত্ত্ব in his unrivalled sympathy (তাঁহার অতুলনীয় সহানুভূতিতে) তাঁহার ধর্মে যে সকল উচ্চ অঙ্গের সমাধি প্রভৃতির গুরুত্ব, তাহা প্রায় সমস্তই বেদে আছে; নাই তাঁহার intellect (বুদ্ধি) এবং heart (হৃদয়), যাহা জগতে আর হইল না।

বেদের যে কর্মবাদ, তাহা Jew (য়াহুদী) প্রভৃতি সকল ধর্মের কর্মবাদ, অর্থাৎ যজ্ঞ ইত্যাদি বাহ্যোপকরণ দ্বারা অন্তর শুদ্ধি করা—এ পৃথিবীতে বুদ্ধদেব the first man (প্রথম ব্যক্তি), যিনি ইহার বিপক্ষে দণ্ডায়মান হয়েন। কিন্তু ভাব ঢং সব পুরাতনের মতো রহিল, সেই তাঁহার অন্তঃকর্মবাদ—সেই তাঁহার বেদের পরিবর্তে সূত্রে বিশ্বাস করিতে হুকুম। সেই জাতিও ছিল, তবে গুণগত হইল (বুদ্ধের সময় জাতিভেদ যায় নাই), সেই যাহারা তাঁহার ধর্ম মানে না, তাহাদিগকে 'পাষণ্ড' বলা। 'পাষণ্ড'টা বৌদ্ধদের বড় পুরনো বোল, তবে কখনও বেচারীরা তলোয়ার চালায় নাই, এবং বড় toleration (উদারভাব) ছিল। তর্কের দ্বারা বেদ উড়িল, কিন্তু তোমার ধর্মের প্রমাণ?—বিশ্বাস কর!!—যেমন সকল ধর্মের আছে, তাহাই। তবে সেই কালের জন্য বড় আবশ্যক ছিল এবং সেই জন্যই তিনি অবতার হন। তাঁহার মায়াবাদ কপিলের মতো। কিন্তু শঙ্করের how far more grand and rational (কত মহত্তর এবং অধিকতর যুক্তিপূর্ণ) বুদ্ধ ও কপিল কেবল বলেন—জগতে দুঃখ, দুঃখ, পালাও পালাও। সুখ কি একেবারে নাই? যেমন ব্রাহ্মরা বলেন, সব সুখ—এও সেই প্রকার কথা। দুঃখ, তা কি করিব? কেহ যদি বলে যে সহিতে সহিতে অভ্যাস হইলে দুঃখকেই সুখ বোধ হইবে? শঙ্কর এ দিক দিয়ে যান না—তিনি

বলেন, 'সন্নাপী অসন্নাপী, ভিন্নাপি অভিন্নাপি'—আছে অথচ নেই, ভিন্ন অথচ অভিন্ন এই যে জগৎ, এর তথ্য আমি জানিব,—দুঃখ আছে কি কী আছে; জুজুর ভয়ে আমি পালাই না। আমি জানিব, জানিতে গেলে যে অনন্ত দুঃখ তা তো প্রাণভরে গ্রহণ করিতেছি; আমি কি পশু যে ইন্দ্রিয়জনিত সুখ দুঃখ-জরামরণ-ভয় দেখাও? আমি জানিব—জানিবার জন্য জান দিব। এ জগতে জানিবার কিছুই নাই, অতএব যদি এই relative-এর (মায়িক জগতের) পরে কিছু থাকে—যাকে শ্রীবুদ্ধ 'প্রজ্ঞাপারম্' বলিয়া নির্দেশ করিয়াছেন—যদি থাকে, তাহাই চাই। তাহাতে দুঃখ আসে বা সুখ আসে I do not care (আমি গ্রাহ্য করি না)।

কি উচ্চভাব! কি মহান্ ভাব! উপনিষদের উপর বুদ্ধের ধর্ম উঠেছে, তার উপর শঙ্করবাদ! কেবল শঙ্কর বুদ্ধের আশ্চর্য heart (হৃদয়) অণুমাত্র পান নাই; কেবল dry intellect (শুষ্ক জ্ঞানবিচার)—তন্ত্রের ভয়ে, mob-এর (ইতরলোকের) ভয়ে ফোড়া সারাতে গিয়ে হাতসুদ্ধ কেটে ফেললেন। এ সকল সম্বন্ধে লিখতে গেলে পুঁথি লিখতে হয়, আমার তত বিদ্যাও আবশ্যক—দুইয়েরই অভাব।

বুদ্ধদেব আমার ইষ্ট, ঈশ্বর। তাঁহার ঈশ্বরবাদ নাই—তিনি নিজে ঈশ্বর, আমি খুব বিশ্বাস করি। কিন্তু 'ইতি' করিবার শক্তি কাহারও নাই। ঈশ্বরেরও আপনাকে limited (সীমাবদ্ধ) করিবার শক্তি নাই। তুমি যে 'সূত্তনিপাত' হইতে গণ্ডারসূত্ত তর্জমা লিখিয়াছ, তাহা অতি উত্তম। ওই গ্রন্থে ওই প্রকার আর একটি ধনীর সূত্ত আছে, তাহাতেও প্রায় ওই ভাব। 'ধম্মপদ'-মতেও ওই প্রকার অনেক কথা আছে। কিন্তু সেও শেষে যখন "জ্ঞান-বিজ্ঞানতৃপ্তাত্মা কূটস্থো বিজিতেন্দ্রিয়ঃ"—যাহার শরীরের উপর অণুমাত্র শরীর বোধ নাই, তিনি মদমত্ত হস্তীর ন্যায় ইতস্ততঃ বিচরণ করিবেন। আমার ন্যায় ক্ষুদ্র প্রাণী এক জায়গায় বসিয়া সাধন করিয়া সিদ্ধ হইলে তখন ওই প্রকার আচরণ করিবে—সে দূর— বড় দূর।

চিন্তাশূন্যমদৈন্যভৈক্ষ্যমশনং পানং সরিদ্বারিষু
স্বাতন্ত্রেণ নিরঙ্কুশা স্থিতিরভীর্নিদ্রা শ্মশানে বনে।
বস্ত্রং ক্ষালনশোষণাদিরহিতং দিগ্বাস্তু শয্যা মহী
সঞ্চারো নিগমান্তবীথিষু বিদাং ক্রীড়া পরে ব্রহ্মণি।।

বিমানমালম্ব্য শরীরমেতদ্
ভুনক্ত্যশেযান্ বিষয়ানুপস্থিতান্।
পরেচ্ছয়া বালবদাত্মবেত্তা
যোঽব্যক্তলিঙ্গোঽননুষক্তবাহ্যঃ।।

দিগম্বরো বাপি চ সাম্বরো বা
ত্বগম্বরো বাপি চিদম্বরস্থঃ।
উন্মত্তবদ্বাপি চ বালবদ্বা
পিশাচবদ্বাপি চরত্যবন্যাম্।।

—ব্রহ্মাজ্ঞের ভোজন, চেষ্টা বিনা উপস্থিত হয়—যেথায় জল, তাহাই পান। আপন ইচ্ছায় ইতস্ততঃ তিনি পরিভ্রমণ করিতেছেন—তিনি ভয়শূন্য, কখনো বনে, কখনো শ্মশানে নিদ্রা যাইতেছেন; যেখানে বেদ শেষ হইয়াছে, সেই বেদান্তের পথে সঞ্চরণ করিতেছেন। আকাশের ন্যায় তাঁহার শরীর, বালকের ন্যায় পরের ইচ্ছাতে পরিচালিত, তিনি কখনো উলঙ্গ, কখনো উত্তম-বস্ত্রধারী, কখনো জ্ঞানমাত্রই আচ্ছাদন, কখনো বালকবৎ, কখনো উন্মত্তবৎ, কখনো পিশাচবৎ ব্যবহার করিতেছেন।'

কেশবচন্দ্র যখন সিংহল ভ্রমণ করছেন, নরেন্দ্রনাথ তখনও আসেননি। স্বামী বিবেকানন্দ যখন বৌদ্ধধর্মের এই ব্যাখ্যা স্বামী অখণ্ডানন্দজিকে জানাচ্ছেন তখন কেশবচন্দ্র পৃথিবী ছেড়ে চলে গেছেন। তবে ব্রাহ্মধর্মের প্রতিপত্তি খর্ব হয়নি। শনিবার ৫ নভেম্বর, ১৮৫৯, কেশবচন্দ্র এবং তাঁর সঙ্গীরা কলকাতায় ফিরে এলেন। ভ্রমণ ডায়েরি শেষ করলেন, 'স্বাগত, জন্মভূমি, স্বাগত।'

সিংহলে যাওয়া এবং সিংহল থেকে ফিরে আসা—এ দুটি প্রান্তেই নাটকীয়তা। সেন পরিবারে খবর এসেছিল, কেশবচন্দ্র ফিরে আসছেন। যে জাহাজে ফিরছেন সেই জাহাজটির নাম 'বেন্টিঙ্ক'। দাদা নবীনচন্দ্র আর একজন আত্মীয় ঘাটে কেশবচন্দ্রকে আনতে গেলেন। তাঁরা সেখানে গিয়ে দেখলেন, কেউ কোথাও নেই। ইতিমধ্যে কেশবচন্দ্র সবার অলক্ষে বাড়িতে ফিরে এসেছেন। তিনি যে এসেছেন বাড়ির লোকও জানেন না। এ একমাত্র কেশবচন্দ্রই পারেন। কেন এমন করলেন। গোঁড়া সেন পরিবার তাঁর যাবতীয় বেচাল নিন্দা করেছেন। এই স্বাধীনতা গুরুজনেরা মেনে নিতে পারেননি। তাঁদের বিচারে দেবেন্দ্রনাথ ও তাঁর মহর্ষি পরিবার ম্লেচ্ছ। হিন্দুধর্মের শাস্ত্রীয় বিধান লঙ্ঘন করে সমুদ্রযাত্রা করেছেন। একদিন, দুদিন নয় দীর্ঘকাল ম্লেচ্ছদের সঙ্গে কাটিয়ে এসেছেন, আহারাদি করেছেন। এমন মানুষের তো প্রায়শ্চিত্ত করাই উচিত। পরিবার আরও সমালোচিত হবেন এই আশঙ্কাতেই তিনি চুপিচুপি ফিরে এসেছিলেন। সকলে যখন জানতে পারলেন, কেশবচন্দ্র এসেছেন, তখন চিত্রটা হল অন্যরকম। ভেবেছিলেন অত্যাচার হবে, পেলেন সাদর অভ্যর্থনা। স্বগৃহে স্বচ্ছন্দে পূর্বের মতোই জীবন শুরু করলেন। দু-চারজন নানা কথা বললেন বটে, তাতে কিছু আসে যায় না। অতবড় বংশের প্রভাবশালী অভিভাবকেরা যখন তাঁকে ব্রাত্য না করে সাদরে গ্রহণ করলেন, তখন সমালোচকদের তুচ্ছ কিচিরমিচির বন্ধ হল। কেশবচন্দ্র পূর্বজীবন ফিরে পেলেন। সেই জীবনের বেশির ভাগটাই জুড়ে রইল ব্রাহ্ম সমাজ, ব্রহ্মবিদ্যালয় আর সমাজ সংক্রান্ত নানা কাজ।

সিংহল থেকে ফিরে আসার পর সকলে লক্ষ করলেন, কেশবচন্দ্র আরও পালটে গেছেন। ধর্ম ছাড়া তাঁর জীবনে যেন কিছুই নেই। সংসার বিমুখতা তো ছিলই, ইদানীং সংসারের সঙ্গে তাঁর সব সম্পর্কই যেন ঘুচে গেছে। গৃহে থাকলেও তিনি যেন বহিরাগত—এইরকম একটা ভাব।

ব্রাহ্ম সমাজের সদস্যরা আর ব্রহ্ম বিদ্যালয়ের ছাত্ররাই তাঁর সর্বক্ষণের সঙ্গী। মহর্ষি দেবেন্দ্রনাথের সঙ্গে ঘনিষ্ঠতা অত্যন্ত বেড়ে গেল। যা তাঁর আত্মীয়স্বজনরা খুব একটা ভালো চোখে দেখলেন না, কারণ দুটি পরিবারের ধারা সম্পূর্ণ ভিন্ন।

২৫ ডিসেম্বর, ১৮৫৯। কেশবচন্দ্রের জীবনে এক অতি গুরুত্বপূর্ণ দিন। ব্রাহ্ম সমাজের সম্পাদক পদে বৃত হলেন। সমাজের নিজস্ব দ্বিতল গৃহ নির্মিত হয়েছে। সেই গৃহেই ব্রহ্মবিদ্যালয়। ছাত্রসংখ্যা ক্রমশই বাড়ছে। কলকাতার যুবকদের মধ্যে ক্রমশই অন্যরকমের একটা ভাব আসছে। সাহেবিআনা ও ম্লেচ্ছভাব ক্রমশই এঁদের কাছ থেকে দূরে সরে যাচ্ছে। আদর্শ সনাতন জীবনের প্রতি আগ্রহ বাড়ছে। কেশবচন্দ্রের দায়িত্ব এতটাই বেড়ে গেছে যে, অন্যদিকে তাকাবার ফুরসত নেই।

পরিবারের যাঁরা অভিভাবক তাঁরা কেশবচন্দ্রকে আদর্শ এক গৃহীরূপেই দেখতে চান। তিনি সর্বাগ্রে সুবিখ্যাত রামকমল সেনের সুযোগ্য নাতি। এই কথাটি তাঁকে ধরিয়ে দেওয়া দরকার। পারিবারিক দায়িত্ব তাঁকে পালন করতে হবে। সেইখানেই আছে তাঁর অভিজাত জীবনের সমস্ত ভবিষ্যৎ। এইরকম ক্ষেত্রে সেকালের কর্তারা যুবকটিকে আগে বিবাহের পিঁড়েতে বসাতেন। কেশবচন্দ্র ইতিমধ্যেই বিবাহিত। তখন তাঁরা ভেবেচিন্তে ঠিক করলেন, এই গৃহবিমুখ উড়ু উড়ু যুবকটিকে একটি কাজে ঢুকিয়ে দেওয়া যাক। কর্মের বন্ধনে বাঁধা পড়লে, দায়িত্ব ঘাড়ে চাপলে, মাসে মাসে হাতে বেশ কিছু টাকা এলে— এই ধর্ম নিয়ে নাচানাচি অবশ্যই বন্ধ হবে।

ভালো চাকরি হাতের মুঠোতেই ধরা রয়েছে। সেকালের নামকরা বিখ্যাত ব্যাঙ্ক—'বাঙ্গাল ব্যাঙ্ক' (Bengal Bank)-এর দেওয়ান পদে রয়েছেন কেশবচন্দ্রের জ্যাঠামশাই হরিমোহন সেন। কেশবচন্দ্রের দাদাও রয়েছেন উচ্চপদে। সুতরাং চেয়ারটা সরিয়ে দিলেই কেশবচন্দ্রের বসতে বাঁধা নেই। ১৮৫৯ সালের নভেম্বর মাসে কেশবচন্দ্র এই ব্যাঙ্কে চাকরি পেলেন। মাসে মাইনে ত্রিশ টাকা। সেকালের মুদ্রামূল্যে বেশ ভালোই। জ্যাঠামশাইকে যথেষ্ট সমীহ করেন, দাদাকে ভালোবাসেন। অতএব কেশবচন্দ্রকে দশটা, পাঁচটার শৃঙ্খলে বাঁধা পড়তে হল। অবসর সময়টুকু রইল ধর্মচর্চার জন্যে। ইতিহাসের কি মিল। হালিশহরের রামপ্রসাদ সেন

কলকাতার কাছারিতে মুহুরির চাকরি পেয়েছিলেন। হিসেবের খেরোর খাতায় গান লিখতে শুরু করলেন—'দে মা আমায় তবিলদারী / আমি নিমকহারাম নই শঙ্করী'। জমিদারবাবুর কাছে নালিশ গেল—খাতায় টাকা, আনা, পাই-এর বদলে হালিশহরের সেন একের পর এক গান লিখে চলেছেন। জমিদারবাবু ডাকলেন, দেখি হিসেবের খাতা। সহজ, সরল রামপ্রসাদ খাতাটি এগিয়ে দিলেন। জমিদারমশাই প্রথম গানটি পড়লেন। জলভরা চোখে রামপ্রসাদের দিকে তাকিয়ে রুদ্ধ গলায় বললেন, কাকে আমি দশ টাকার মাইনের চাকরিতে নিযুক্ত করেছি। ইনি যে দেখি জমিদারের জমিদার। জগন্মাতার তবিলদার।

দক্ষিণেশ্বরে কামারপুকুরের গদাধর মা কালীকে গান শোনাতে শোনাতে রাণী রাসমণিকে একটি চড় মারলেন। মন্দিরে হইহই পড়ে গেল। রাণী বললেন—চিনতে পারিনি। মথুরবাবু বললেন, ছোট ভট্চাজ এবারে আমি এসেছি তোমার সেবা করার জন্যে। কর্মচারীদের ডেকে বললেন, খবরদার, ইনি যা করবেন বাধা দেওয়ার চেষ্টা করবে না। তাহলে দূর করে দেব। রাণীকে বললেন, তোমার মন্দিরের মা আর শিলামূর্তি রইলেন। ইনি জাগ্রতা।

কর্তব্যপরায়ণ কেশবচন্দ্র। বাঙ্গাল ব্যাঙ্কের ত্রিশ টাকা মাইনের কর্মচারী। ভাই প্রতাপচন্দ্র মজুমদার, পরবর্তীকালে যিনি ব্রাহ্ম সমাজের একজন কেউকেটা হবেন। আমেরিকার বিশ্বধর্মসভায় ব্রাহ্ম প্রতিনিধি হয়ে স্বামী বিবেকানন্দের সঙ্গে একই মঞ্চে বসবেন, তিনিও এই ব্যাঙ্কের একজন কর্মী। মাইনে মাসিক কুড়ি টাকা। সবসময় ব্যাঙ্কে কাজ থাকে না। কাজের ফাঁকে ফাঁকে, অবসর সময়ে কেশবচন্দ্র একমনে কী সব লেখেন। তাঁর সহকর্মীরা আড়চোখে দেখেন। কর্তৃপক্ষের কানে এই খবর পৌঁছে গেল। একদিন ব্যাঙ্কের অধ্যক্ষ ডেকে জিজ্ঞেস করলেন—কী লেখেন আপনি? কেশবচন্দ্রের জীবনে কোনও গোপনীয়তা, লুকোচুরি—এসব নেই। তিনি বললেন, আমার মনে যেসব ভাবনা আসে আমি তাই লিখি। সর্বময় কর্তা সেই লেখা পড়ে এতটাই খুশি হলেন, কেশবচন্দ্রের মাইনে কুড়ি টাকা বাড়িয়ে দিলেন। ত্রিশ থেকে পঞ্চাশ।

এরপরে একটি ঘটনা ঘটল। ব্যাঙ্কের অধ্যক্ষ কর্মচারীদের ডেকে

বললেন, আপনাদের একটি মুচলেকা পত্রে সই করতে হবে। সেটি হল—কর্মে গোপনীয়তা। এখানে আপনারা যা শুনবেন, যা করবেন, যা দেখবেন—বাইরে কারও কাছে প্রকাশ করা চলবে না। পরিবার, পরিজন, বন্ধুবান্ধব এবং আত্মীয়মহলে গল্পের ছলেও কিছু প্রকাশ করবেন না। এই অঙ্গীকার পত্রে আপনারা সই করুন।

সকলেই সই করলেন, কেশবচন্দ্র করলেন না। প্রতিনিয়ত তিনি বিবেকের কণ্ঠস্বর শুনতে পান। এ কল্পনা নয়, তাঁর জীবনে এক বাস্তব সত্য। তিনি শুনলেন বিবেকের নিষেধ বাণী। কতকগুলি কথাভর্তি একটি কাগজ, তাতে একটা সই। এ এমন কিছু ব্যাপার নয়। এই প্রতিজ্ঞা প্রকৃতই কি রক্ষা করা যায়। কোনও না কোনও সময়ে কোনও অন্তরঙ্গজনের কাছে বলে ফেলা তো অসম্ভব নয়। প্রতিজ্ঞাভঙ্গের অপরাধ কে বহন করবে। এ যেন সেই গল্প—রাজা ও তাঁর ক্ষৌরকার। প্রথম যেদিন রাজার চুল কাটতে বসল, রাজামশাই বললেন—শোন, তুই একটা জিনিস এক্ষুণি দেখতে পাবি, কিন্তু ভুলেও কারওকে বলবি না। যদি বলিস, সঙ্গে সঙ্গে তোকে শূলে চাপানো হবে। রাজার কপাল চুলে ঢাকা থাকে। সেই চুল সরাতেই বেরিয়ে পড়ল দুটি শিং। কোনওরকমে কেশ কর্তন করে সেই নাপিত রাজপ্রাসাদ থেকে বেরিয়ে এল। অপরকে বললেই তার প্রাণ যাবে। ভীষণ গোপনীয় খবর। এমন একটা কথা না বলে কি থাকা যায়। পাছে বলে ফেলে এই ভয়ে সে বনে চলে গেল। সেখানে তো কোনও লোক নেই। এদিকে না বলতে পারলে তার পেট ফুলছে, সে হয়তো মরেই যাবে। বিশাল এক নিমগাছ।

সেই নিমগাছের সামনে দাঁড়িয়ে সে গোপন কথাটি খালাস করল—গাছ ভাই জান, আমাদের রাজার মাথায় দুটো শিং।

যাক বাবা, বাঁচা গেল। ফিরে এল লোকালয়ে। এমনিই তার বরাত। দিন কয়েক বাদেই এক বাদ্যযন্ত্র নির্মাতা সেই নিমগাছ কেটে নিয়ে এল। তৈরি হল নানারকমের বাদ্যযন্ত্র, শহরের সেরা গানের দল সেই যন্ত্র কিনল। রাজবাড়ির বায়না। কদিন পরেই আসর বসবে। পাগড়ি মাথায় দিয়ে রাজামশাই বসে আছেন সিংহাসনে। শুরু হল বাজনা। ঢোলে যেই না চাটি পড়ল, বোল বেরল—রাজাজিকা দো শিং। খঞ্জনিও যেই বাজল,

তাতে যে কাঠের নউল আছে, সেখান থেকেও একই ধ্বনি রাজাজিকা দো শিং। আর একটি বাদ্যযন্ত্র বেজে উঠল এই বলে—কিন্নে কাঁহা, কিন্নে কাঁহা। এবার ঢোলে বিরাট চাটি। রাজামশাই শুনলেন। ঢোল বলছে—বভ্যম হাজামনে কাঁহা। হাজাম শূলে চড়ল।

কেশবচন্দ্রের জ্যাঠামশাই ও দাদা খুব ভয় পেয়ে গেলেন, চাকরিটা না যায়। প্রতিজ্ঞাপত্রে সবাই সই করল। কেশব করলেন না, কি হবে। বাঙ্গাল ব্যাঙ্কের অধ্যক্ষ মহাশয় যথেষ্ট বড়দরের মানুষ। তিনি তাঁর চেম্বারে ডেকে পাঠালেন কেশবচন্দ্রকে। প্রশ্ন করলেন—কেন সই করবেন না? কেশবচন্দ্রের কিসের ভয়ডর। চাকরির প্রতি তাঁর কোনও মমতা নেই। তিনি স্পষ্ট, পরিষ্কার বুঝিয়ে দিলেন—আমি আমার বিবেকের আদেশে চলি। আমি তঞ্চকতা, ভণ্ডামি, ভড়ং দ্বিচারিতা অপছন্দ করি। প্রতিজ্ঞা মানে প্রতিজ্ঞা। এই গোপনীয়তা মেনে চলা সম্ভব নয়। কোনও না কোনও সময়ে কিছু একটা বলে ফেলতেই পারি। আপনি জানতে না পারলেও, আমার সদাজাগ্রত বিবেক তা জানতে পারবেই। ব্যাঙ্কের অধ্যক্ষ অবাক হয়ে কিছুক্ষণ তাকিয়ে থাকলেন। এই নবীন কর্মচারীর স্পষ্ট উত্তরে খাঁটি আদর্শবাদী একজন মানুষকে তিনি আবিষ্কার করলেন। বললেন, আপনার সই করতে হবে না। কেশবচন্দ্রও অব্যাহতি পেলেন।

বেশ চলছিল কাজকর্ম। পরিবারের সকলে বেশ খুশি। কেশবচন্দ্র পারিবারিক হয়ে উঠছেন, ক্রমশই তাঁর পদমর্যাদা বাড়ছে। কয়েকদিনের মধ্যেই তাঁর প্রোমোশান হবে। হঠাৎ তিনি চাকরি ছেড়ে দিলেন। ১৮৬১ সালে ১ জুলাই তিনি পদত্যাগ করলেন। কারণ যে আদেশে তিনি পথ চলেন, সেই আদেশে তিনি আদিষ্ট হলেন—চাকরি তোমার জন্য নয়। তোমার পথ সম্পূর্ণ ভিন্ন, আরও অনেক বড় কাজের জন্যে তুমি আগে থেকেই চিহ্নিত। পরিবার-পরিজন তাঁকে নানাভাবে বোঝালেন, সিদ্ধান্তে তিনি অনড়। ব্যাঙ্কের যাঁরা ওপরঅলা তাঁরা খুব দুঃখ পেলেন। কেশবচন্দ্রের বিখ্যাত বই 'জীবনবেদ'-এর প্রার্থনা অধ্যায়ে লিখছেন, 'আমি জানিতাম, প্রার্থনা করিলেই শোনা যায়। আদেশের মতো এইরূপ প্রথম হইতেই হৃদয়ে নিহিত আছে। কি ধর্ম লইব, প্রার্থনা তাহার উত্তর দিতেন। অফিসের কাজ ছাড়িব কি, ধর্ম-প্রচারক হইব কি, প্রার্থনাই তাহা বলিয়া দিতেন।'

এই সময় কেশবচন্দ্র যেন এক আদিষ্ট পুরুষ। তিনি হু হু করে লিখে চলেছেন একের পর এক পুস্তিকা। সেগুলি নিয়মিত প্রকাশিত হয়ে যুবগোষ্ঠীর হাতে চলে যাচ্ছে। প্রচারক জীবনের শুরুই বলা যেতে পারে। প্রথম পুস্তিকাটি একটি আহ্বান—

● 1) 'Young Bengal, this is for you'

'মনকে জ্ঞান এবং হৃদয়কে বিশ্বাসাদিতে পূর্ণ করিলে তবে জীবন কার্যকর হইতে পারে।'

● 2) 'Be Prayerful'-July 1860

'প্রার্থনা বিনা ধর্মের উচ্চতম ফল আত্মসমর্পণ উপস্থিত হয় না।'

● 3) 'Religion of Love'-August 1860

'অসাম্প্রদায়িকতা, ঈশ্বর পিতা, মানুষ পরস্পর পরস্পরের ভাই।'

● 4) Basis of Brahmsism'-Sept, 1860

'সহজ জ্ঞান ব্রাহ্মধর্মের মূল,

'ব্রাহ্মধর্মের ঈশ্বর তর্কলব্ধ বা পুরাণবর্ণিত ঈশ্বর নহেন,

ইহার ঈশ্বর জীবন্ত ঈশ্বর।

বিশ্ব এই ধর্মের মন্দির। প্রকৃতি পুরোহিত।

সব মানুষই তাঁর পূজার অধিকারী।'

'নিশ্বাসপ্রশ্বাসাদি ক্রিয়া যেমন সহজে নিষ্পন্ন হয়, আমাদিগের ইচ্ছাধীন নহে, ধর্মের মূল সত্য সকল তেমনি সহজে উপলব্ধির বিষয় হয়, আমাদিগের ইচ্ছার উপর উহাদিগের গ্রহণাগ্রহণ নির্ভর করে না।'

● 5) 'Brethren, Love your Father'–October, 1860

'পাপী যখন অনুতাপের শেষ সীমায় উপস্থিত, আর যখন সে আত্মসংবরণ করিতে পারে না, তখন সে অধীর হইয়া ঈশ্বরের নিকট ক্রন্দন ও আর্তনাদ করিতে প্রবৃত্ত হয়।'

● 6) 'Signs of the times'-November-1860

'ঈশ্বরের কর্তৃত্ব বিনা অন্য কোনো কর্তৃত্ব স্বীকার

উনবিংশ শতাব্দীর ভাবোচিত নহে

স্বাধীনতা ও উন্নতি একালের জগৎ বাণী

বিবিধ শাস্ত্রালোচনার উপর পরিত্রাণ নির্ভর করে না

ঈশ্বরের ন্যায় ও করুণার নিকট আত্মসমর্পণ

দ্বিজত্ব লাভ—পরিত্রাণের একমাত্র পথ।

T. Wilson, F. J. Foxton, R. W. Graig, I Longford W. Meckol Fox, Miss Cobb, Theodor Parker, F. W. Newman, I Young উদ্ধৃতি।'

● 7) 'An Exhortation'-December-1860

'সংসার আসরে। চলো চলো যাই সত্যবসনে।'

● 8) 'Basis of Brahmoism'-January, March, April, 1861, 'কৃষ্ণনগরের পাদরী ডাইসন কেশবচন্দ্রের বক্তৃতাটি শুনে ষাটটি প্রশ্ন করেছিলেন—তার জবাব।'

● 9) 'Revelation' May, 1861

'যেখানে করুণা সেখানে ন্যায়,

যেখানে ন্যায় সেখানে করুণা।।'

ধর্মপ্রচারক ও ধর্মগুরু হিসেবে অচিরেই আবির্ভাব ঘটবে বাংলার যুবসমাজে, সাময়িক ব্যাঙ্কের চাকরি যেন দিগ্‌দর্শনের কাজ করল কেশবচন্দ্রের জীবনে। একের পর এক ভাবনা আসতে থাকল। এইসময় কেশবচন্দ্র নিজে বুঝলেন কি না কে জানে! কিন্তু প্রত্যেকেই অবাক হলেন তাঁর রূপান্তর দেখে। তিনি যখন ইংরেজিতে ভাষণ দিতেন তখন ঘন্টার পর ঘন্টা মানুষ স্থির হয়ে শুনতেন—কি বলছেন কেশবচন্দ্র। আসল উদ্দেশ্য ছিল বায়ু পরিবর্তন। শরীর তখনও সম্পূর্ণ সুস্থ নয়, সেই কারণেই তিনি কৃষ্ণনগরে গিয়েছিলেন।

১৮৬১ সাল, কেশবচন্দ্র তাঁর কয়েকজন সহযোগীকে নিয়ে কৃষ্ণনগরে এসেছেন। এখন তিনি সম্পূর্ণ মুক্ত পুরুষ। চাকরি পরিত্যাগ করেছেন। ব্রাহ্ম ধর্ম প্রচারই তাঁর জীবনের প্রধান উদ্দেশ্য। মহর্ষি দেবেন্দ্রনাথ এই তরুণ যুবকের মধ্যে তাঁর নায়ককে খুঁজে পেয়েছেন। কৃষ্ণনগর ব্রাহ্মধর্মের একটি শক্তিশালী কেন্দ্র হয়ে উঠছে। অঞ্চলের মানুষ যথেষ্ট শিক্ষিত। অনেকটাই সংস্কারমুক্ত। চিন্তাশীল। তবে পাদ্রিরাও এখানে খুবই সক্রিয়। কৃষ্ণনগর সেই শতাব্দীর একটি অদ্ভুত জায়গাই বলা চলে। ইতিমধ্যেই কেশবচন্দ্র ব্রাহ্মসমাজের সম্পাদক হয়েছেন (পূর্বেই বলা হয়েছে) অবশ্য

তিনি একা সম্পাদক নন, মাথার ওপরে রয়েছেন মহর্ষি দেবেন্দ্রনাথ, সহকারী সম্পাদক পদে রয়েছেন আনন্দচন্দ্র বেদান্ত বাগীশ।

কেশবচন্দ্রের উদ্দেশ্য ছিল কৃষ্ণনগরে পরীক্ষা করে দেখবেন জনমানসে ব্রাহ্মধর্মের, চিন্তা ভাবনার অভিঘাত কতটা হয়। মানুষ সাগ্রহে গ্রহণ করে কী না? হিন্দুধর্মের ভাঁজ থেকে তাঁরা বেরিয়ে আসতে পারেন কী না? তাঁর নিজেরও পরীক্ষা হবে। মানুষের কাছে তিনি কতটা গ্রহণযোগ্য হতে পারছেন। চিরকালই সমাজের গঠনে থাকে প্রবীণ আর নবীন। কেশবচন্দ্রের লক্ষ্য নবীনরা। কারণ তাঁরাই হবেন দেশের ভবিষ্যৎ। এখানে চারটি বক্তৃতার আয়োজন করা হল। বক্তা কেশবচন্দ্র। বক্তৃতার বিষয় তিনি দুটিভাগে ভাগ করলেন। একটি হল জ্ঞান, আর একটি হল অনুষ্ঠান। জ্ঞানবিভাগে, বিষয় হিসেবে নির্বাচন করলেন দুটি প্রসঙ্গ— ১।। ব্রাহ্ম ধর্মের পত্তনভূমি, ২।। প্রায়শ্চিত্ত ও মুক্তি। অনুষ্ঠান বিভাগে রাখলেন দুটি বিষয়—১।। জীবনের লক্ষ্য ও প্রার্থনার আবশ্যকতা, ২।। ঈশ্বরের জন্য বিষয় ত্যাগ।

চারটি বক্তৃতাই আশাতীত আকর্ষণীয় হল। শ্রোতারা দলে দলে এসে ভিড় করলেন। যাঁরা বসার জায়গা পেলেন না তাঁরা দাঁড়িয়ে রইলেন, মিশনারি ডাইসন যথেষ্ট বিস্মৃত হয়ে ভাবতে লাগলেন, বক্তৃতার বিষয় যাই হোক বক্তার এমন সম্মোহিনী শক্তি খুবই কম দেখা যায়। ইনি অবশ্যই একজন শক্তিশালী প্রতিদ্বন্দ্বী। কেশবচন্দ্র তাঁর বক্তৃতার এক জায়গায় বললেন, 'খ্রিস্টধর্ম প্রভৃতি কাল্পনিক ধর্ম।' কৃষ্ণনগরের প্রধান পাদ্রি ডাইসন খানিকটা ক্ষিপ্ত হয়ে এই উক্তির জবাব দেবার জন্য একদিন তাঁর নিজের বক্তৃতার আয়োজন করলেন। তেমন সুবিধা করতে পারলেন না। তাঁর বক্তব্যের মূল কথা হল, ব্রাহ্মধর্মের ভিত্তি দুই নাস্তিক সাহেবের দর্শন। তাঁরা হলেন নিউম্যান আর পার্কার। অনেকক্ষণ বললেন বটে, বক্তব্যে তেমন আঁট খুঁজে পাওয়া গেল না। এদিকে কেশবচন্দ্র হই হই ফেলে দিলেন। কৃষ্ণনগরে জাঁদরেল বৈষ্ণবরা কেশবচন্দ্রকে বললেন, আপনাদের ধর্মের সঙ্গে আমাদের ধর্মের যথেষ্ট বিরোধ থাকলেও যেহেতু আপনি আমাদের সাধারণ শত্রু পাদ্রিদের পরাজিত করেছেন, আপনি আমাদের বন্ধু।

কেশবচন্দ্রের লক্ষ্য ছিলেন যুবকরা। যারা কলেজে পড়ে, নতুন ভাবধারায় জীবন গঠন করতে চায় তাদের ভারত-সংস্কৃতি ও আদর্শে ফিরিয়ে আনা। কৃষ্ণনগরের কর্মকাণ্ড মহর্ষি দেবেন্দ্রনাথকে একটি চিঠিতে জানাতে গিয়ে লিখলেন, 'আশার অতীত ফল পাইয়াছি। এখানে একেবারেই টানা জাল ফেলিয়াছি।' এইখানেই কেশবচন্দ্র সমস্ত ধর্মপ্রচারকের জন্যে দুটি সত্য আবিষ্কার করলেন—১।। গূঢ়রূপে প্রীতির জাল বিস্তার না করিলে, কেবল বাহ্য আড়ম্বরে ধর্মপ্রচার হয় না। ২।। যুবকদের চিত্ত আকর্ষণ করিতে প্রণয়শৃঙ্খলে বদ্ধ হইতে চেষ্টা করিতে হইবে। নিজেকেও প্রশ্ন করিলেন, আমাদের পরিশ্রম কি বিফল হইয়াছে? আমরা কি অরণ্যে রোদন করলাম? মরুভূমিতে বীজ রোপণ করিলাম? নিজেই উত্তর দিচ্ছেন—কখনই না। সত্য জানিবার ইচ্ছা, ব্রহ্ম রসপান করিবার ইচ্ছা, তৃষ্ণা অনেকেরই আছে।

সেকালের বিখ্যাত পত্রিকা তত্ত্ববোধিনী কেশবচন্দ্রের কৃষ্ণনগর সফরের সংবাদ পরিবেশন করতে গিয়ে লিখলেন—'কৃষ্ণনগরে এক অগ্নি জ্বলিয়া উঠিয়াছিল।' কেশবচন্দ্রের বক্তৃতার একটি অংশ তাঁর পরিবেশন করলেন, 'ঈশ্বর প্রতি মনুষ্যের হৃদয়ে স্বাভাবিক সহজবাক্য সকল প্রেরণ করিতেছেন। তাহাই আমাদের আপ্তবাক্য, তাহাই আমাদের শাস্ত্র। কোনো বিশেষ পুস্তককে আমরা শাস্ত্র বলিয়া স্বীকার করি না। ঈশ্বর যে পুরাতন কালে পুরাতন লোকদিগের মনে সত্য প্রেরণ করিতেন, এখন আমাদিগকে পরিত্যাগ করিয়াছেন, আমরা এমত বিশ্বাস করি না।'

নীতিনির্ধারণ করতে গিয়ে কেশবচন্দ্র লিখলেন,

প্রীতি ব্রাহ্মধর্ম প্রচারের প্রধান উপায়।

● কটূক্তি, গ্লানি, উপহাস, অত্যাচার সহ্য করা যায়।

● অভিমান, ক্রোধ, অহঙ্কার বিসর্জন।

● প্রীতি থাকলে সকলের কাছে যাওয়া যায়।

● শত্রুরা পরাভূত হয়।

পরবর্তীকালে কেশবচন্দ্রের একান্ত পার্ষদরা মনে করতেন, তিনি ঈশ্বর প্রেরিত, সপার্ষদ জগৎসভায় প্রবেশ করেছেন। যথেষ্ট কারণও ছিল। শুধু ব্রহ্মবিদ্যালয় নয়, একসঙ্গে যুক্ত হয়েছিল 'সঙ্গত সভা', ব্রাহ্মসমাজের

তৎকালীন এক সভ্য তাঁর স্মৃতি লিপিতে লিখছেন—

"১৭৮০ শকে (১লা অগ্রহায়ণ, ১৫ই নভেম্বর, ১৮৫৮ খ্রি.) কোনো বিশেষ ঘটনার জন্য হিমালয় পরিত্যাগ করিয়া মহর্ষি দেবেন্দ্রনাথ কলিকাতায় প্রত্যাগমন করিলে, ব্রাহ্মসমাজ নবজীবন ধারণ করিল। এই সময়ে আমাদিগের প্রিয়তম আচার্য্য কেশবচন্দ্র ভগবান্ কর্তৃক আহূত হইয়া ব্রাহ্মসমাজে যোগদান করেন। তাঁহার সৌম্য মূর্ত্তি, অপূর্ব মুখশ্রী, প্রশান্ত ও অমৃতবর্ষী দৃষ্টি, অন্তরের সংক্রামক ব্রহ্মানুরাগ, অদ্ভুত চরিত্র এবং সুমিষ্ট বাক্য, যেন চারিদিকে মোহিনী শক্তি বিস্তার করিয়া দলে দলে যুবকদলকে ব্রাহ্মসমাজে আকর্ষণ করিতে লাগিল। পূর্বে ব্রাহ্মসমাজ জনসাধারণের নিকট অবিদিত ছিল। দুই একজন পণ্ডিত কর্তৃক বেদ বেদান্ত পাঠ ও কালয়াতী সংগীতের স্থান বলিয়া উহা প্রতীত হইত। অনেকের ধারণা এইরূপ ছিল যে, এখানে সাধারণের প্রবেশাধিকার নাই, অথবা তাহা থাকিলেও এখানে তত শিক্ষার বিষয় নাই। ব্রাহ্মসমাজে মৃতবৎ প্রণালীবদ্ধ কার্য্য ছিল; কেশবচন্দ্রের যোগদানের পর উহা উদ্যম, উৎসাহ এবং সৎকার্য্যের আলয় হইয়া উঠিল। বিদ্যালয়ে ব্রাহ্মসমাজের কথা, শিক্ষিত লোকদিগের মধ্যে ব্রাহ্মসমাজ লইয়া আন্দোলন চলিতে লাগিল। খ্রিস্টান মিশনারিগণ ইহার প্রভাব দেখিয়া বিস্ময়াপন্ন হইতে লাগিলেন এবং তাঁহাদের প্রভাব খর্ব হইয়া আসিল। ইহার প্রভাবে হিন্দুসমাজও তটস্থ হইল। দেশ দেশান্তরে ইওরোপ ও আমেরিকায় ইহার নাম প্রতিধ্বনিত হইতে লাগিল এবং ওই সকল দেশ হইতে সহানুভূতিসূচক পত্র সকল আসিতে লাগিল। সমুদায় পৃথিবীর চক্ষু ব্রাহ্মসমাজের উপর পড়িল, এই ক্ষুদ্র শিশুর শুভকামনা সকলেই করিতে লাগিলেন। যে সকল উপায়ে কেশবচন্দ্র ব্রাহ্মযুবকদিগের চিত্ত আকর্ষণ করিয়াছিলেন, তাহার মধ্যে দুইটি প্রধান— ব্রহ্মবিদ্যালয়, সঙ্গতসভা। এই দুইটির নাম উল্লেখ করিবামাত্র তৎসংসৃষ্ট যে কয়েকজন লোক এখন ব্রাহ্মসমাজে বর্তমান আছেন, তাঁহাদের হৃদয়ে অপূর্বভাব উদ্বেলিত হইয়া উঠে।'

ব্রাহ্মবিদ্যালয়ের স্মৃতিলিপি বর্ণিত হয়েছে যাঁরা প্রত্যক্ষদর্শী তাঁদের কলমে। সে যেন স্বর্গসভা। মহর্ষি দেবেন্দ্রনাথের ছবি দেখলেই মনে হয় যেন কোনও তপোবনে ঋষি। কেশবচন্দ্রের চুল দাড়ি না থাকলেও তাঁকে

একজন সুন্দর মানুষই বলতে হয়। তাঁর মুখের গঠন অভিজাত। আর ঊর্ধ্ব নয়ন। ছোটখাটো মানুষ নন। আকার আকৃতি দীর্ণ। দুটি চেয়ারে পাশাপাশি বসে আছেন দুজনে। মহর্ষি প্রেমভরা দৃষ্টিতে তাকিয়ে আছেন পুত্রসম কেশবচন্দ্রের দিকে। কেশবচন্দ্রও তাকিয়ে আছেন তাঁর দিকে। সামনের আসনে পাশাপাশি বসে আছেন ছাত্ররা। তাঁরা এই অপূর্ব দৃশ্য দেখছেন। অদ্ভুত এক প্রেম সঞ্চালিত হচ্ছে দুজনের মধ্যে। এই দৃশ্যটি রচনা করছে পরিবেশ। প্রথমে মহর্ষি বাংলায় উপদেশ দেবেন, প্রায় এক ঘণ্টা। এরপর কেশবচন্দ্র বলবেন ইংরেজিতে। কেউ জানেন না সেই বক্তৃতা কখন শেষ হবে। 'উপদেশের শেষ কোথায়? আকাশের বিদ্যুতের ন্যায় তাহা আপন বেগে চলিয়া যাইত, কে তাহাকে নিবারণ করে? কখন তিন ঘণ্টা, কখন চারি ঘণ্টা, কখন পাঁচ ঘণ্টা অতিবাহিত হইত, দিবালোক রজনীর অন্ধকারে পরিণত হইত, তথাপি তাহার বিরাম হইত না। বক্তৃতা শেষ হইলেও আগ্নেয়গিরির গর্ব্বের ন্যায় তাঁহার হৃদয় আন্দোলিত থাকিত। বক্তৃতাকালে কখন চীৎকার করিতেন আর বলিতেন, তোমরা ধর্ম্মেতে পাগল হইবে না? দুইজনও পাগল হইয়া সংসার ছাড়িবে না? কখন ঈশ্বর প্রেমে নিজে নিমগ্ন হইয়া এমনি অজস্র অমৃত বর্ষণ করিতেন যে শ্রোতা যুবাদের চক্ষু দিয়া অনবরত প্রেমধারা বহিত। প্রায়ই আরম্ভের সময় আস্তে আস্তে আরম্ভ করিতেন, কিন্তু শেষভাগে তিনি এমনি উৎসাহে মত্ত হইয়া উঠিতেন যে, মনে হইত, মুখ দিয়া অনবরত অগ্নিবর্ষণ করিতেছেন। একদিন জনৈক সম্ভ্রান্ত অধিক বয়স্ক ব্রাহ্ম হঠাৎ ব্রহ্মবিদ্যালয় দর্শন করিয়া আসিয়া বিস্ময়াপন্নভাবে এইরূপ বর্ণনা করিয়াছিলেন যে, একটি গৃহ অন্ধকারে পরিপূর্ণ, চারিদিকে এমনি নিস্তব্ধতা যে, যেন ঘরে কেহই নাই। কেবলমাত্র একটি চীৎকার ধ্বনি উঠিতেছে, আর উহাতে এই কথাগুলি প্রতিধ্বনিত হইতেছে 'তোমরা সকলে উন্মত্ত হও। উন্মত্ত না হইলে কিছু হইবে না।'

এই সভায় মহর্ষি যে বক্তৃতা দিতেন তা তাঁর দ্বিতীয় পুত্র সত্যেন্দ্রনাথ ঠাকুর লিখে নিয়ে আসতেন। মহর্ষির সমস্ত বক্তৃতাই একত্রিত করে একটি বই প্রকাশিত হল—'ব্রাহ্মধর্মের মত ও বিশ্বাস।' কেশবচন্দ্রের কোনও উপদেশই সেইভাবে রক্ষা করা সম্ভব হয়নি। হয়তো চেষ্টা হয়েছিল।

পরবর্তীকালে এই চেষ্টা যাঁরা করেছিলেন তাঁদের মন্তব্য কার সাধ্য লিপিবদ্ধ করে। আকাশের বিদ্যুৎকে কী পেটিকাবদ্ধ করা যায়। সমস্ত উপদেশকে যদি বিষয় অনুসারে ভাগ করা যায় তাহলে দেখা যাবে সে এক বিরাটবৃত্ত। বিষয়গুলি হল, ধর্মশাস্ত্র কি, মুক্তি কাহাকে বলে, ঈশ্বরের প্রেম, ঈশ্বরেতে অনন্তকাল স্থিতি, ন্যায় ও দয়ার সামঞ্জস্য, সহজ জ্ঞান, দর্শন শাস্ত্রের ইতিহাস, মনোবিজ্ঞানের ইতিবৃত্ত, ইত্যাদি।

কেশবচন্দ্র মনোবিজ্ঞান ও সহজজ্ঞান ইত্যাদি বিষয় খুব ভালোভাবে পড়েছিলেন। তিনি বিশ্বাস করতেন একজন ধর্মপ্রচারকের এসব জানা উচিত। মানুষের মনের ওপর প্রভাব বিস্তার করতে হলে সাইকোলজির সাহায্য নিতেই হবে। তিনি যখন চিৎকার করে হুঙ্কার সহযোগে যুবকদের বলতেন, সংসার থেকে ছিটকে বেরিয়ে এস ঈশ্বরের অঙ্গনে, তখন তাঁর ওই সিংহনাদ ও মুখচোখের উজ্জ্বল অভিব্যক্তি (একালের ভাষায় বলা যেতে পারে বডি ল্যাঙ্গোয়েজ) একসঙ্গে মিলিত হয়ে অদ্ভুত এক প্রভাব বিস্তার করত। এইসময় যাঁরা প্রচারক হয়েছিলেন তাঁরা সকলেই বড় বড় ব্যক্তি যেমন ভাই প্রতাপচন্দ্র, উমানাথ, মহেন্দ্রনাথ, অমৃতলাল, সত্যেন্দ্রনাথ ঠাকুর। হরগোপাল সরকার, ক্ষেত্রমোহন দত্ত আর কুচবিহারের দেওয়ান কালিকাদাস দত্ত।

এই ব্রাহ্ম বিদ্যালয়ের ছাত্রদের মধ্যে বিশ্ববিদ্যালয়ের উপাধিকারীরাও ছিলেন। বৎসরান্তে পরীক্ষা গ্রহণ করা হত। যাঁরা উত্তীর্ণ হতেন তাঁদের দেওয়া হত Certificate of Honor। সমস্ত জ্ঞানই ব্রহ্মজ্ঞানের ওপর প্রতিষ্ঠিত হওয়ায় শিক্ষিত মানুষের কাছে অতি মাত্রায় গ্রাহ্য হয়েছিল। এক সময় এই ধর্ম শুধু সারা ভারতে নয় বিদেশেও ছড়িয়ে পড়বে। তার কারণ বিজ্ঞান সমন্বিত কুসংস্কার বর্জিত দৃষ্টিভঙ্গি।

কেশবচন্দ্রের আবাল্য অনুসন্ধান ঈশ্বর। সৎ, সুন্দর, আন্তরিক, উদ্ভাসিত জীবন। কিন্তু জীবন তাঁকে অনবরতই ঝাপটা মেরেছে। কেন তিনি অত ভালো ছাত্র হয়েও উচ্চ পরীক্ষা থেকে সযত্নে নিজেকে সরিয়ে নিলেন? এই বিষয়ে তাঁর জীবনীকাররা খোলাখুলি তেমন কিছু বলেননি। একজন বলেছেন, তিনি প্রখ্যাত অতুলচন্দ্র সেন। খুবই দুঃখজনক একটি ব্যাপার ঘটেছিল। কেশবচন্দ্রের কেরিয়ারে কিছু মানুষের রূঢ় আঘাত। কিন্তু তাঁকে দমিয়ে রাখা সম্ভব হয়নি। যে উচ্চতায় নিজেকে তোলার ইচ্ছা তাঁর ছিল, ঈশ্বর সেই জায়গায় তাঁকে পৌঁছে দিয়েছিলেন। হিন্দু কলেজ থেকে মেট্রোপলিটনে যাওয়াটা তাঁর ইচ্ছায় হয়নি, অভিভাবকদের ইচ্ছায়। দু'বছর পরে সেই কলেজ উঠে গেল, তিনি আবার ফিরে এলেন হিন্দু কলেজে। ১৮৫৬ সালে সিনিয়র পরীক্ষায় বসলেন। 'এই পরীক্ষায় অপর একজন পরীক্ষার্থীর সহিত উত্তর মিলাইয়াছিলেন। এই সন্দেহ করিয়া তাঁহাকে পরীক্ষার অধিকার হইতে বঞ্চিত করা হইল। ইহার পরও দুই বৎসর কাল তিনি বিদ্যালয়ের সহিত সংসৃষ্ট ছিলেন। কিন্তু আর কখনও সাধারণ পরীক্ষায় উপস্থিত হন নাই।'

মহর্ষি দেবেন্দ্রনাথ কেশবচন্দ্রের গুণমুগ্ধ। কেশবচন্দ্রই ব্রাহ্ম আন্দোলনের প্রাণপুরুষ—এটি তিনি অনুভব করেছিলেন। সেই সময় কেশবচন্দ্রের চেয়ে প্রিয় দ্বিতীয় আর কেউ ছিলেন না। কিন্তু সেন পরিবারের কেউই এটি ভালো চোখে দেখতেন না। পরিবারের গৃহবধূ ব্রাহ্মধারা অনুসারে স্বামীর সঙ্গে ব্রাহ্ম সমাজে যান—এ তাঁরা একেবারেই পছন্দ করতেন না। কেশবচন্দ্র যা করেন করুন, কিন্তু তাঁর স্ত্রী সেন পরিবারের কূলবধূ। এদিকে মহর্ষি দেবেন্দ্রনাথ সেই সময় ধর্মরসে এমনিই নিমজ্জিত, সন্ধ্যা কখন গভীর রাত হল আবার রাত কখন ভোর হল—সে খেয়াল তাঁর থাকত না। পিতা দ্বারকানাথ ঠাকুর প্রিন্স নামে আখ্যাত হতেন। তাঁর লাইফ স্টাইল সেকালের রাজা-মহারাজার মতো। তাঁর বাড়িটিও ছিল সেই

রকম। তাঁর আমলে রাজা-মহারাজা, উচ্চপদস্থ মানুষদের আগমনে বাড়ি ঝলমল করে উঠত। এটি ছিল তাঁদের প্রমোদকেন্দ্র। মহর্ষি দেবেন্দ্রনাথ সেই আভিজাত্যকে ধ্বংসই করেছেন বলা চলে। বিশাল রাজকীয় বৈঠকখানায় এখন যাঁরা সমবেত হন, তাঁরা কেউ বড়লোক নন। 'ছিন্নবস্ত্র পরিধায়ী, দুঃখী যুবকবৃন্দের এবং আপিসের অতি সামান্য কেরানি ও অল্পবয়স্ক ছাত্র, ব্রহ্মানুরাগ ব্যতীত যাঁহাদের আর কোনও গুণ ছিল না, তাঁহাদিগের পবিত্র আমোদ ও আরামের স্থান হইয়াছিল।'

যে ঘরটির কথা বলা হচ্ছে, দ্বারকানাথের আমলে সেই ঘরটিকে বিলেতের বাকিংহাম প্যালেসের কোনও সুসজ্জিত ঘরের সঙ্গে সহজেই তুলনা করা যেত। মহর্ষি একদিন শ্মশান দর্শন করে এসে এই জগতের অস্থায়িত্বে উদ্বেল হয়ে এই ঘরের বহুমূল্য সমস্ত জিনিসপত্র, সাজসজ্জা দূর করে ফেলে দিয়েছিলেন। এখন এটি তাঁর বৈঠকখানা, ঠাকুরবাড়ির অন্যান্য ঘরে বহুমূল্য ছবি, লণ্ঠন, দেওয়ালগিরি ইত্যাদি যা যা ছিল সবই তিনি বিদায় করে দিলেন। একেবারে সাধারণ—এই তাঁর জীবনযাত্রার ধরন, যে হলঘরে ব্রাহ্মসমাজের সদস্যরা আসতেন, সে ঘরের বাড়তি কোনও শোভা ছিল না। মেঝেতে কার্পেট নয় মাদুর। ঘরের একপাশে একটি মাত্র কোচ, মহর্ষি সেই আসনে বসতেন। সামনে ছোট একটি টিপয়। আর তাঁর সামনে সাধারণের বসবার জন্য কয়েকটি সাধারণ চেয়ার। সন্ধ্যা নামলেই যুবকদের আগমনে বড় হলঘরটি ভরে যেত। প্রত্যেককেই দেওয়া হত এক এক বাটি চা। কখনও কখনও পাশের আর একটি গৃহে তাঁরা একত্রে আহার করতেন। এই আহারে ব্রহ্মানন্দ কেশবচন্দ্র সেনও আসন গ্রহণ করতেন। তিনি নিরামিষভোজী। মহর্ষি দেবেন্দ্রনাথ মাংসাদি আহার করতেন। এই ব্যাপারে তাঁর যথেষ্ট আগ্রহ ছিল। নানা প্রকারের মাংসও রান্না হত। বহু চেষ্টা করেও কেশবচন্দ্রকে মাংস খাওয়াতে পারেননি। এই নিয়ে মাঝে মাঝে মহাবিতণ্ডাও উপস্থিত হত।

সন্ধ্যার পর জোড়াসাঁকোর চিত্রটি হত এই রকম। বাইরে চিৎপুরের রাস্তায় শহর কলকাতা গড়াগড়ি যাচ্ছে। আর কিছুটা দূরেই, অন্তরালে সুন্দর উদ্যানযুক্ত একটি গৃহের নীচের তলার হলঘরে একদল সাধারণ

মানুষ ব্রহ্মরস পান করছেন। সন্ধ্যা যখন বেশ জমাট করে এসেছে সেই সময় শুরু হত সৎ প্রসঙ্গ, নানা রকমের প্রশ্ন ও প্রশ্নোত্তর। এইভাবেই রাত দুটো-তিনটে বেজে যেত। দু-একজন যুবক আসনে বসেই গভীর নিদ্রায় চলে গেছেন হয়তো। মহর্ষির অন্দরমহল নিঃশব্দ। জেগে আছে দুজন মানুষ—একজনের নাম বোলাকী, আর একজনের নাম কিনু এই দুজন মহর্ষির টহলদার। এত রাতেও দুজন মানুষ কিন্তু জ্বলজ্বল করছেন। একজন মহর্ষি আর একজন তাঁর অতি প্রিয়তম ব্রহ্মানন্দ কেশবচন্দ্র। দুজনেই দুজনের মুখের দিকে মাঝে মাঝে তাকাচ্ছেন, আর ভাবাবেগ উথলে উথলে উঠছে। ঊনবিংশ শতাব্দীর এই দৃশ্য কলকাতায় আর কোনও দিন ফিরে আসবে না। কেউ ঘড়ি দেখলে মহর্ষি খপ করে তাঁর ঘড়িটি কেড়ে নিতেন। ঘর থেকে পারিবারিক দেওয়াল ঘড়িটি অনেকদিনই বিদায় করে দিয়েছেন। সময় তো মানুষের জগতে—এক বন্ধন। অনন্তের ঘড়ি অনন্তের নিয়মে চলে। ভাবাবেশে কখনও তিনি হা-হা করে হাসতেন, কখনও কখনও কেশবচন্দ্রকে হঠাৎ এমন ধাক্কা মারলেন, তিনি পড়ে যেতে যেতে সামলে নিলেন। মহর্ষি কখনও কখনও আনন্দ করে বলতেন—অতীতে রমানাথ ঠাকুর আর সব বড়লোক বন্ধু ও আত্মীয় ছিলেন। অনেক আমোদপ্রমোদ করেছি, এখন আমার সঙ্গী এই সব বিনীত, দুঃখী যুবকরা। এরাই আমার বন্ধু। এদের সঙ্গেই আমি জীবনের সবচেয়ে সুখের মুহূর্তগুলি খুঁজে পেয়েছি।

কেশবচন্দ্রের সঙ্গে এই সময় তাঁর সম্পর্ক কত সুন্দর ছিল। বেরিলী বেড়াতে গেছেন। সেখানে ব্রাহ্ম সমাজ আছে। ফিরে এসে ওই ঘরে বসে বলছেন, 'যদি পথে মৃত্যু হত তবে কী আমোদই হত। মৃত্যুপথযাত্রী আমি এই বলে টেলিগ্রাম করতাম—কেশববাবু শীঘ্র শীঘ্র এস, দেখ, কেমন আনন্দ করতে করতে গৃহে চলে যাচ্ছি।' জিজ্ঞেস করলেন—কেশববাবু, আপনি কীভাবে মরতে চান? কেশবচন্দ্র বললেন, 'আমার ইচ্ছা হয় প্রার্থনা করতে করতে অতি বিনীত ভাবে পিতার নিকটে চলে যাই।' সেই সময় এই সামান্য দুটি কথা থেকে দুই সাধকের মনের উচ্চভাব স্পষ্ট বোঝা যায়। একজন বৃদ্ধ দেবেন্দ্রনাথ আর একজন যুবক কেশবচন্দ্র। সুমিষ্ট ধর্মবন্ধনে দুজনে বাঁধা পড়েছেন।

মহর্ষি কেশবচন্দ্রকে শুধু ভালোবাসতেন না, ভীষণ শ্রদ্ধাও করতেন। কেশবচন্দ্র ঘরে প্রবেশ করলে মহর্ষি ধীরে ধীরে আসন থেকে উঠে দাঁড়াতেন। কেশবচন্দ্র অন্যান্য লোকেরা সামনের যে চেয়ারে বসেন সেখানে বসতে চাইতেন। কিন্তু বৃদ্ধ সস্নেহে তাঁর হাতটি ধরে কোচের ওপর নিজের পাশে প্রায় জোর করে বসিয়ে দিয়ে বলতেন, তোমার এই স্থান। ঘরে যখন মাখন-মিছরি বা অন্য কোনও খাদ্য মহর্ষির জন্যে ভেতর থেকে পাঠিয়ে দেওয়া হত তখন তিনি আগে এক চামচ ব্রহ্মানন্দের মুখে পরে আর এক চামচ নিজের মুখে দিতে দিতে বলতেন—একবার তুমি খাও, একবার আমি খাই। এ স্নেহপ্রবণ বৃদ্ধ তখন কেশবের মুখের দিকে তাকিয়ে অশ্রুবিসর্জন করতেন। ব্রাহ্ম সমাজের বেদি থেকে যখন ব্রাহ্ম ধর্মের ব্যাখ্যা করতেন তখন সারাটাক্ষণ কেশবচন্দ্রের মুখের দিকে তাকিয়ে থাকতেন। বলতেন, তোমার মুখের দিকে তাকালে আমার ভাব আসে।

এসে গেল নববর্ষ। সমাজের বর্ষবরণ উৎসব, এই দিনটি খুবই উৎসব মুখর। এই উৎসবে কেশবচন্দ্র তাঁর স্ত্রীকে নিয়ে ঠাকুর পরিবারে যোগ দেওয়ায় তাঁকে গৃহত্যাগ করতে হয়। গৃহ থেকে বিতাড়িত হলেন। আর সেই সময় তাঁর একটি উৎকট ফোঁড়া হল। কেশবচন্দ্রের জীবন কখনই ঝঞ্ঝাট মুক্ত ছিল না। তিনি তখন মহর্ষির জোড়াসাঁকোর বাড়িতে রয়েছেন। দেবেন্দ্রনাথ সেকালের বিখ্যাত চিকিৎসকদের নিযুক্ত করলেন। এই বাড়িতে কেশবচন্দ্রের স্ত্রীও স্থান পেয়েছেন। একদিনের জন্যেও তাঁর মনে হয়নি তিনি পরের বাড়িতে রয়েছেন। ঠাকুর পরিবারের মহিলারা ও বালকরা তাঁকে আপন করে নিয়েছিলেন।

কেশবচন্দ্রের জীবনের এই পর্যায়টিকে তুলনা করা চলে—যেমন উত্তাল সমুদ্রে নৌকো বাওয়া। ১৮৬২ সালের ১ বৈশাখ, প্রধান আচার্য দেবেন্দ্রনাথ ঠাকুর কেশবচন্দ্রকে আচার্য পদে অভিষিক্ত করবেন। নিয়মানুসারে যিনি অভিষিক্ত হবেন তাঁকে সস্ত্রীক উপস্থিত থাকতে হবে। সেন পরিবারে কেশবচন্দ্রকে সেই সময় তাঁর মা ছাড়া কেউই তেমন পছন্দ করছেন না। পুত্র মাকে বললেন, আমি আমার স্ত্রীকে নিয়ে ঠাকুরবাড়িতে নিয়ে যাব, আচার্য্য হিসাবে আমার অভিষেক হবে।

পরিবারের অভিভাবকরা শুনলেন। তাঁরা রুখে দাঁড়ালেন। কেশবকে একাজ কিছুতেই করতে দেওয়া হবে না। সে নিজে যায় যাক, বউমাকে নিয়ে যাওয়া চলবে না। তাঁরা তাঁদের মতো করে ব্যবস্থাদি নিলেন। এইবার দৃশ্যটি এই রকম—ভোর হয়েছে, নববর্ষের ভোর। কেশবচন্দ্র, সুন্দর চেহারা, সুন্দর সাজসজ্জা। স্ত্রীকে নিয়ে বেরিয়ে এলেন বাইরের চত্বরে। তাঁর স্ত্রী জগন্মোহিনী এই পরিবারে যখন এসেছিলেন তখন এক সুন্দরী বালিকা, ইতিমধ্যে তিনি অতি সুন্দরী কেশব সহধর্মিণী। কেশবচন্দ্রের অনেকটা পেছনে ধীরে ধীরে আসছেন। লজ্জায় সঙ্কুচিত হয়ে। কারণ এ এক বিদ্রোহ। গুরুজনদের কথা না শোনার অপরাধে তিনি যেন অপরাধী। গৃহের কুলবধূ কোনও দিন বাইরে যাননি। চত্বরে তখন অনেক লোক। ভাসুর, ঠাকুরপো অন্যান্য সব গুরুজনরা দাঁড়িয়ে আছেন। তাঁরা সমস্বরে বলছেন—'যেও না, যেও না। তুমি ঘরের বউ, একাজ তোমাকে মানায় না। লজ্জা-শরম ভুলে যেও না।' জগন্মোহিনী তখন ফিরে যেতেই চাইলেন। এইবার স্বামী কেশবচন্দ্র তাঁর দিকে তাকালেন। তাঁর উজ্জ্বল চোখে জ্বলন্ত দৃষ্টি। বললেন—'যদি আমার সঙ্গে আসতে চাও এই বেলা এস। তা না হলে আমি বিদায় গ্রহণ করছি।' স্ত্রী জানেন, এই স্বামী যা বলেন তাই করেন। সত্যবাক, এই আদেশ তাঁর পক্ষে অগ্রাহ্য করা সম্ভব হল না। অনুসরণ করলেন। জ্যেষ্ঠ ভ্রাতা নবীনচন্দ্র কেশবচন্দ্রের দৃঢ়তা দেখে বুঝতে পারলেন—একে আটকানো সম্ভব নয়। নীবনচন্দ্রের চোখে জল, তিনি ভাইকে অনুরোধ করলেন—একাজ কোরো না। কেশবচন্দ্রের প্রতিজ্ঞা! সেই সময় যেন তাঁর তেজ ফেটে পড়ছে। তিনি এগিয়ে গেলেন বন্ধ দরজার দিকে। তখনও তিনি ক্ষীণকায়। পরে মোটা হয়েছিলেন। দরজার কাছে গিয়ে অর্গলে হাত রাখা মাত্রই সেটি উৎপাটিত হয়ে তাঁর হাতে চলে এল। যাঁরা দেখেছিলেন, পরবর্তীকালে বলেছিলেন, এ এক অলৌকিক ঘটনা। কোনও রকম বলপ্রয়োগ তাঁকে করতে হয়নি, দরজার খিল আপনিই খুলে এল। সেই সময় দরজার কাছে যে দারোয়ানকে পাহারায় রাখা হয়েছিল তাঁর বক্তব্য একটু অন্যরকম। তিনি বলছেন, 'কর্তৃপক্ষের সমস্ত চেষ্টাই যখন ব্যর্থ হতে চলল তখন তাঁদেরই ইশারায় গেটের সঙ্গে যে ছোট একটি দরজা নীচের দিকে লাগান ছিল সেইটি

খুলে দিয়েছিলুম। বাইরে অপেক্ষা করছিল পালকি। বউমাকে সেই পালকিতে তুলে দিয়েছিলুম।'

আচার্য্যপদে কেশবচন্দ্রের অভিষেক হয়ে গেল। তাঁর পরিবারের গুরুজন সদস্যরা আর তাঁকে স্বগৃহে প্রত্যাবর্তনের অনুমতি দেবেন না—এ জানা কথা। ওদিকে ব্রাহ্মসমাজের বেদীতে আচার্য কেশবচন্দ্র। মহর্ষি দেবেন্দ্রনাথ নবীন আচার্যকে সম্বোধন করে বলছেন—'শ্রীমান্ কেশবচন্দ্র! তুমি যে এই মহদ্ভাব গ্রহণ করিতে প্রবৃত্ত হইয়াছ, আমি জানিতেছি যে, তাহাতে তোমার দ্বারা এ ধর্ম্মের অশেষ উন্নতি হইবে। তুমি এই গুরুভার অপরাজিত চিত্ত হইয়া অহোরাত্র বহন করিবে। কিসে কলিকাতা ব্রাহ্মসমাজ উন্নত হয়, কিসে ব্রাহ্মদিগের মনের মালিন্য দূর হয়, এ প্রকার যত্ন করিবে। অন্য কোনো প্রচলিত ধর্ম্মের প্রতি দ্বেষ কি নিন্দাবাদ করিবে না, কিন্তু যাহাতে সকল ব্রাহ্মদিগের মধ্যে ঐক্য-বন্ধন হয়, এমত উপদেশ দিবে। আপনার আন্তরিক ভাব অকপটহৃদয়ে নির্ভয়ে ব্যক্ত করিবে, সদা নম্রস্বভাব হইবে। বৃদ্ধদিগকে সমাদর করিবে। যাহার যে প্রকার মর্যাদা, তাঁহাকে সেই প্রকার মর্যাদা দিবে। তুমি যে কর্ম্মে অগ্রসর হইয়াছ, এ অতি দুরূহ কর্ম্ম। কিন্তু অল্প বয়স্ক মনে করিয়া আপনাকে অবজ্ঞা করিও না। আমাদের ব্রাহ্মধর্মের প্রবর্তক মহাত্মা রামমোহন রায় ধর্ম্মের জন্য ষোড়শ বৎসরে দেশত্যাগী হইয়াছিলেন। সেই ষোড়শ বৎসরে তিনি যে ভাব দ্বারা নীয়মান হইয়াছিলেন, সেই ভাব তাঁহার হৃদয়ে চিরদিনই ছিল। প্রথম বয়সে যাঁহারা ধর্ম্মের জন্য ত্যাগ স্বীকার করেন, তাঁহারা কদাপি অবসন্ন হন না।'

কেশবচন্দ্রের জীবন ঘিরে শুরু হল ঘটনার আবর্ত। বাড়ি থেকে চিঠি এল। জ্যাঠামশাই আর দাদা স্পষ্ট জানিয়ে দিলেন—এই বাড়িতে তোমার প্রবেশ নিষেধ। কেশবচন্দ্র ভাগ্য মানেন না, তিনি মানেন ঈশ্বরের নির্দেশ। চিঠিটি মহর্ষির হাতে তুলে দিলেন। দেবেন্দ্রনাথ বললেন, 'আমার গৃহ তোমার গৃহ, তুমি সুখে এই গৃহে বাস কর।'

মহর্ষি নিবাসে সপরিবারে আচার্য কেশবচন্দ্রের বসবাস শুরু হল। ঠাকুর পরিবার যথেষ্ট ধনী, কিন্তু দেবেন্দ্রনাথের স্ত্রী ও কন্যারা কেশবচন্দ্রের স্ত্রীর সঙ্গে এমন মধুর, সস্নেহ ব্যবহার করতেন, যে তাঁর মনেই হত না

তিনি পরের বাড়িতে আছেন। কেশবচন্দ্রের স্ত্রী দেবেন্দ্রনাথকে মনে করতেন তাঁর পিতা। এইবার আরেক পরীক্ষা। কেশবচন্দ্রের কুঁচকিতে (জানুসন্ধি)একটি কার্বাঙ্কল হল। অল্প অল্প রস বেরত। প্রথমদিকে তেমন ব্যথা ছিল না। কেশবচন্দ্রও পাত্তা দিতেন না। যেমন আছে তেমন থাক।

রথযাত্রার সময় হালিশহরে ব্রাহ্মদের সাংবাৎসরিক উৎসব। প্রধান আচার্য দেবেন্দ্রনাথ, আচার্য কেশবচন্দ্র ও একদল ব্রাহ্মযুবক স্থির করলেন, এই অনুষ্ঠান হবে স্বগৃহে। আয়োজন শুরু হল। সঙ্গে সঙ্গে প্রতাপশালী জ্যাঠামশাই হরিমোহন বলে পাঠালেন, এই অনুষ্ঠান যদি করতে হয় তাহলে বাইরের উদ্যানে কর। নিমন্ত্রিতদের আমি সসম্ভ্রমে উদ্যানে পাঠিয়ে দেব। কেশবচন্দ্র বললেন, অসম্ভব। এই আদেশ আমি মানতে প্রস্তুত নই। পুত্রের জাতকর্ম গৃহকর্ম, গৃহ থাকতে আমি উদ্যানে গিয়ে এই অনুষ্ঠান করব কেন? অনুষ্ঠান এই বাড়িতেই হবে।

তখনো একটা মজার ব্যাপার হল। কেশবচন্দ্রের অনুষ্ঠানকে যখন বাগানে পাঠানো গেল না, তখন হরিমোহন ঠিক করলেন, তিনিই সকলকে নিয়ে বাগানে চলে যাবেন, কেশবচন্দ্র যা পারেন তাই করবেন। রাতের বেলায় তিনি তাঁর পরিবারবর্গকে বাড়ি ছাড়া করলেন। দু'জনেরই সমান জেদ। যেমন কেশবচন্দ্র সেইরকম হরিমোহন। বিরাট বাড়ির কোথাও কেউ অন্ধকারে ঘাপটি মেরে রইলেন কি না দেখার জন্যে নিজেই একটি লণ্ঠন হাতে অনুসন্ধানে বেরলেন। ঘরের পর ঘর, সব ঘরেই তালাচাবি পড়ল। কেশবচন্দ্র যেন ব্যবহার করতে না পারেন। মাতা সারদাদেবী, একমাত্র তিনিই থাকবেন। কারণ তাঁর নাতির অনুষ্ঠান। হরিমোহন সমস্ত অনুসন্ধান শেষ করে রাতের মতো বাড়িতেই বিশ্রাম নিলেন। তিনি সকালে বাড়ি ছাড়বেন। তারও একটা কারণ আছে। তিনি সেই সময় ব্যাংকের দেওয়ান, সকাল বেলা তাঁর আদেশে ব্যাংক থেকে একদল দারোয়ান আসবে। তাদের হাতে বাড়ির রক্ষণাবেক্ষণ অর্পণ করে তবেই তিনি বাড়ি ছাড়বেন। তাঁর সে পরিকল্পনাও ভেস্তে গেল। সকালবেলাতেই কেশবচন্দ্রের নির্দেশে বাদ্য-বাজনা শুরু হয়ে গেল। হরিমোহন ব্যস্তসমস্ত হয়ে রশন চৌকিদারদের চিৎকার করে বলতে লাগলেন, 'এ সাহেব রশন চৌকিদার জরা ঠহরহ, জরা ঠহরহ'—এই

বলতে বলতে তিনি বাড়ি থেকে বেরিয়ে চলে গেলেন। এরপরে ব্যাঙ্কের দারোয়ানরা যখন এল, তারা এসে কেশবচন্দ্রকে সেলাম করে জিজ্ঞেস করলে—কী করতে হবে বাবু? তারা ভেবেছে এই উৎসবের জন্যেই আসতে বলা হয়েছে। কেশবচন্দ্র তাঁদের বিভিন্ন জায়গায় দাঁড় করিয়ে দিলেন। অনুষ্ঠানের শোভা বেড়ে গেল। বাড়ির সুসজ্জিত উৎসবপ্রাঙ্গণে ব্রাহ্মরা সব সমবেত হয়েছেন। ব্রাহ্মিকারা চলে গেছেন বাড়ির ভেতরে। যথাসময়ে মহর্ষি দেবেন্দ্রনাথ সমস্তরকম আয়োজন সঙ্গে নিয়ে উপস্থিত হলেন। কোনও কিছুরই আর অভাব রইল না। ব্রাহ্ম অনুষ্ঠানে যেমন হয়, মালা দিয়ে চতুর্দিক সাজানো হল। যে মণ্ডপ তৈরি হয়েছে সেখানে একে একে ঝাড়লণ্ঠন ঝোলানো হল। উপাসনার বেদীটি অপূর্ব সুন্দর শোভাধারণ করেছে। একেবারে রাজকীয় আয়োজন। কোথাও কোনও অভাব নেই। রশনচৌকি বেজে চলেছে। সুন্দর পোশাক পরে ব্রাহ্মরা এসেছেন। ব্রাহ্মিকারাও অনুষ্ঠান অনুযায়ী সজ্জিতা, অনুষ্ঠান পরিচালনা করবেন অন্নদাপ্রসাদ চট্টোপাধ্যায়। তিনি ব্রহ্মস্তোত্র পাঠ করলেন। তারপর প্রধান আচার্য শ্লোকের ব্যাখ্যা করলেন। প্রার্থনা পরিচালনায় এলেন আচার্য কেশবচন্দ্র। তিনি বললেন, "অদ্য আমার আনন্দের সীমা নাই, সৌভাগ্যের অন্ত নাই। অদ্য ব্রাহ্মধর্ম্মকে গৃহমধ্যে আনিয়া স্বাধীনভাবে আনন্দমনে তাঁহাকে আলিঙ্গন করিতেছি। শতাধিক ব্রাহ্ম ভ্রাতার সহিত প্রীতিরসে মিলিত হইয়া অদ্বিতীয় প্রাণস্বরূপ পরমেশ্বরের উপাসনা করিতেছি। এই গৃহ এখন কেমন উজ্জ্বল মনোহর ভাব ধারণ করিতেছে, চতুর্দিকে ব্রাহ্মধর্ম্মের নিরুপম সুন্দর প্রভা কেমন বিকীর্ণ হইতেছে। এখানে ব্রাহ্মগণ, অন্তঃপুরে ব্রাহ্মিকাগণ পবিত্রতা ও উৎসাহ সহকারে ব্রহ্মনাম সঙ্কীর্ত্তন করিয়া ব্রহ্মানন্দে এই সমুদায় গৃহকে সমুজ্জলিত করিলেন। এই শুভ উৎসবের শোভা সন্দর্শন করিয়া নয়ন মন উল্লসিত হইতেছে। অদ্যকার আনন্দস্রোত ব্রাহ্মধর্ম্ম হইতেই প্রবাহিত হইতেছে। ব্রাহ্মধর্ম্মেরই প্রসাদে আমার নবকুমারের জাতকর্ম্ম নির্বিঘ্নে অনুষ্ঠিত হইল। যে রাশি রাশি বিঘ্ন উপস্থিত হইয়াছিল, তাহা ব্রাহ্মধর্ম্ম স্বীয় স্বর্গীয় প্রভাবে ভস্মীভূত করিলেন, আমার সমুদায় কষ্টের শান্তি করিলেন, আমাকে আশাতীত ফল প্রদান করিয়া আমার জীবন সার্থক করিলেন। আজ যেমন ব্রাহ্মধর্ম্মের মহিমা,

সেইরূপ পরমেশ্বরের মঙ্গল ভাব দেদীপ্যমান দেখিতেছি; ঈশ্বরের রাজ্য মঙ্গলময়। যখন নির্জ্জনে তাঁহাকে মুক্তিদাতা বলিয়া আত্মার অভ্যন্তরে উপাসনা করি, তখন তাহার মঙ্গল ভাব কেমন স্পষ্ট প্রকাশ পায় ; গৃহস্বামী বলিয়া যখন তাঁহাকে পরিবার মধ্যে পূজা করি, তখন সংসারের প্রতি তাঁহার মঙ্গল দৃষ্টির অসংখ্য পরিচয় পাইয়া হৃদয় পরিতৃপ্ত হয়; আবার বিশ্ব-রচয়িতা জগন্নিয়ন্তা বলিয়া যখন জনসমাজে তাঁহার অর্চ্চনা করি, তখন তাঁহার মঙ্গলভাব সর্ব্বত্র দেখিতে পাই। যিনি মঙ্গলস্বরূপ, তাঁহার মঙ্গলভাব, তাঁহার করুণা স্বীয় আত্মাতে, পরিবারে, পৃথিবীর সকল পদার্থে প্রকাশ পাইতেছে। সেই করুণাময় আনন্দস্বরূপ পরমেশ্বর স্বয়ং এই মঙ্গলের ব্যাপারে বিরাজমান থাকিয়া বিমলানন্দ বিতরণ করিতেছেন। আমার এমত আশা ছিল না যে, এ গৃহে তাঁহার মহিমা এত উজ্জ্বলরূপে প্রকাশিত হইবে। তাঁহার কৃপায় ব্রাহ্মধর্ম্মের প্রসাদে, অদ্য সেই আনন্দ লাভ করিয়া কৃতার্থ হইলাম। এ গৃহ পবিত্র হইল, কুল পবিত্র হইল, পরিবারের সকলের মুখ উজ্জ্বল হইল। ধন্য জীবনের জীবন! অনন্ত তোমার করুণা, হে পরমাত্মন্! তোমার প্রসাদে আমার নবকুমারের শুভ জাতকর্ম্ম অদ্য সুসম্পন্ন হইল, তোমার মঙ্গল ক্রোড়ে ইহাকে রক্ষা করিয়া ইহার জীবনকে তুমি সত্য পথে নিয়োগ কর। এ পরিবার তোমারই পরিবার; আমাদের সকলকে তুমি জ্ঞান ধর্ম্মে উন্নত কর, এবং আমাদের মধ্যে সদ্ভাব ও পবিত্রতা বিস্তার কর। আমাদের সংসারে যেন ব্রাহ্মধর্ম্ম নিয়ত বিরাজ করেন, সকল কার্য্য ব্রাহ্মধর্ম্মের নিয়মে সম্পাদিত হয়, তুমি প্রসন্ন হইয়া এই কামনা পূর্ণ কর। হে নাথ! প্রতি পরিবারে তোমার আধিপত্য সংস্থাপিত হউক, জগতের মঙ্গল হউক, তোমার মহিমা সর্ব্বত্র মহীয়ান্ হউক।”

“ওঁ একমেবাদ্বিতীয়ম্।”

শরীর সুস্থ। পুত্র সন্তান লাভ। রামকমল সেনের নিবাসে ব্রাহ্মধর্মের প্রবেশ। সময়টা ভালোই। তবে অতি দুঃসময় আসছে। এর মাঝে খ্রিস্টানদের সঙ্গে আর এক প্রস্থ বাদানুবাদ হল। রেভারেন্ড লালবিহারী দে এই ধর্মকে অন্তঃসারশূন্য, সাময়িক একটা উন্মাদনা বললেন। যাঁদের বয়স কম তাঁরা এইভাবেই মেতে ওঠেন। পাদ্রি ডাক্তার ডফ অবশ্য

বললেন, ব্রাহ্মসমাজ একটি বল—force, বম্বে থেকে খবর এল লর্ড বিশপ সেখানে ব্রাহ্মধর্মের বিরুদ্ধে বক্তৃতা শুরু করেছেন। আচার্য কেশবচন্দ্র মাদ্রাজ ও বম্বে যাওয়ার জন্যে প্রস্তুত হলেন। তাঁর সঙ্গে প্রিয়ভ্রাতা অন্নদাচরণ চট্টোপাধ্যায়। 'নিউবিয়া' স্টিমারে চেপে তাঁরা বম্বে পৌঁছলেন ১৮৬৪ সালের ৯ ফেব্রুয়ারি। বম্বেতে তিনি সর্বত্রই সমাদরে গৃহীত হলেন, আর তাঁর বক্তৃতার তোড়ে শ্রোতারা ভেসে গেলেন। এরপরে এলেন মাদ্রাজে। সেখানেও একের পর এক বক্তৃতা। সমস্ত বক্তৃতাই খুব ভালো হল। শ্রোতারা ব্রাহ্মধর্মের দিকে একটা আকর্ষণবোধ করতে লাগলেন। যে ধর্ম্মের উদ্ভব হয়েছিল কলকাতার চিৎপুরে, সেই ধর্মের ক্ষেত্র এখন সারা ভারতে বিস্তৃত।

ইতিমধ্যেই কেশবচন্দ্রের অনুপস্থিতিতে কলকাতায় একটা ব্যাপার ঘটতে থাকল। মহর্ষি দেবেন্দ্রনাথের কেশবপ্রীতি বয়স্করা অনেকদিন থেকেই খুব সুনজরে দেখছিলেন না। রটে গিয়েছিল, মহর্ষি যখন তাঁর বিষয়সম্পত্তি নিজের ছেলেদের মধ্যে ভাগ করে দেবেন তখন এই মানসপুত্র কেশবচন্দ্রেরও একটি ভাগ থাকবে। এই বৃদ্ধরা কেশব সম্পর্কে নানারকম কথা মহর্ষিকে বলতে লাগলেন, যাতে কেশবের প্রতি তাঁর একটা বিরাগ আসে। পশ্চিম ভারত ও দক্ষিণ ভারতে যখন কেশবচন্দ্রের বিজয় অভিযান চলছে তখন কলকাতায় বেশ একটা শক্ত লবি তাঁর পায়ের তলা থেকে জমি সরিয়ে নেওয়ার জন্যে প্রাণপণ চেষ্টা শুরু করলেন। অল্পবয়স্ক একজন মানুষের এই দোর্দণ্ডপ্রতাপ ও খ্যাতি সহ্য করা যায় না। মহর্ষিকে তিনি যেভাবে গ্রাস করেছেন সেটিও এক অসহ্য ব্যাপার। যতই হোক দেবেন্দ্রনাথ একজন জমিদার। নায়েব, আমলা, গোমস্তা, চাটুকার—এঁদের নিয়েই চলতে হয়। সেই শতাব্দীর কলকাতায় এইসব মানুষদের ভূমিকা ইতিহাস হয়ে আছে। ধনী যদু মল্লিক শ্রীরামকৃষ্ণকে বলেছিলেন,—বড়লোকদের মোসায়েব পুষতে হয়। কেশব সম্পর্কে নানা কথা শুনতে শুনতে মহর্ষির কান ভারি হয়ে ওঠা অসম্ভব নয়। দু'জনের মধ্যে একটা বিরোধ দানা বাঁধছিল। বিষয়টি হল—অসবর্ণ বিবাহ। কেশবচন্দ্র ভ্রমণ শেষে ফিরে এলেন ও এইরকম একটি বিবাহ অনুষ্ঠিত হল। মহর্ষি অসবর্ণ বিবাহ অনুমোদন করতেন না। তবে কেশবচন্দ্রের

ওপর তাঁর অদ্ভুত অনুরাগের কারণে এই বাড়াবাড়ি তিনি সহ্য করছিলেন। দু-একটি অসবর্ণ বিবাহের পর কেশবচন্দ্র যদি নিবৃত্তি হতেন তাহলে এই দ্বন্দ্ব এক সময় মুছে যেত। কেশবচন্দ্র সে চরিত্রের মানুষ নন। তিনি যখন যেটি মনে করেন, সেই মনে হওয়াটাকেই ঈশ্বরের দিব্য সঙ্কেত বলে অনুভব করে—সেটিকে একটি নিয়ম করে তুলতে চান। অসবর্ণ বিবাহের ক্ষেত্রেও তাই হল। দেবেন্দ্রনাথ যেন খানিকটা কোণঠাসা হলেন। আর কেশব বিরোধীরা সেইটাকেই একটা 'ইস্যু' করে তুলতে চাইলেন।

মহর্ষি সব শুনছেন আর দেখছেন। তিনিই তো আদি পুরুষ। এরপরেই এল পৈতে সমস্যা। মহর্ষি ব্রাহ্মসমাজের আদর্শ ও নীতি অনুসারে পৈতে ত্যাগ করেছিলেন। কিন্তু ব্রাহ্ম সমাজে এমন অনেক আচার্য আছেন যাঁরা একূল-ওকূল—দু'কূলই বজায় রেখে চলেছেন। এঁরা পৈতাধারী। এঁদের যজমান আছেন। সেইসব গৃহে হিন্দুধর্মানুসারে অর্থের বিনিময়ে পূজার্চনা পরিচালনা করেন। আবার সমাজগৃহে এসে বেদীতে বসে ব্রাহ্মধর্মের উপদেশাদি ব্রাহ্মদের দিতে থাকেন। এটি দ্বিচারিতা। কেশবচন্দ্র-মহর্ষিকে দিয়ে একটি নির্দেশ জারি করাতে চাইলেন—হয় উপবীত ত্যাগ কর, আর না হয় আচার্যের আসন ছাড়। এইটি মহর্ষির পক্ষে করা সম্ভব কি না ভেবে দেখলেন না। দু'জনেই খুব কাছাকাছি, দু'জনেই চান এই নতুন ধর্মসমগ্র ভারতে প্রধান ধর্ম হয়ে উঠুক। কিন্তু একটি ব্যাপারে দু'জনের দুই মেরুতে অবস্থান।

কেশবচন্দ্র একেবারে খাঁটি, তিনি জীবনের পরিবর্তন চান। মনে এরকম মুখে এরকম এটি তাঁর কাছে অসহ্য। মহর্ষির ব্যাপারটা একটু ওপর ওপর। তিনি চান, সমাজে সবাই এলেন। স্তোত্রপাঠ হল, ব্রাহ্ম সংগীত, কিছু উপদেশ—এরপরে সবাই যে যার জায়গায় ফিরে যাবেন। দক্ষিণেশ্বরে ঠাকুর একটি কথা বলতেন—গঙ্গায় স্নান করলে পাপমুক্তি ঘটে। তবে জান তো, তুমি যেই জলে নামলে তোমার সব পাপ গাছের ডালে উঠে বসে রইল। যেই তুমি জল ছেড়ে ডাঙায় এলে সব ওমনি ঝুপঝাপ করে আবার তোমার ঘাড়ে এসে পড়ল। সপ্তাহে একদিন ব্রাহ্মসমাজের উপাসনায় মন পরিষ্কার হল। এরপর বাকি ছ'দিন সংসারের গামলায় দোষ, গুণে মাখামাখি হল। এইভাবে একটা মানুষকে তো পালটানো যায়

না। মহর্ষি এতদূর ভাবতে চাইতেন না। তাঁর ধর্ম এক ধরনের আভিজাত্য।

কেশবচন্দ্র বুঝে গেলেন প্রবীণদের কানভাঙানি, আর তাঁর সংস্কার প্রচেষ্টা মহর্ষিকে বিচলিত করবেই। আর তার ফল এই হবে—নরমপন্থীদের চাপে চরমপন্থীরা আদি ব্রাহ্মসমাজ থেকে বিতাড়িত হবেন। ইতিমধ্যেই পৈতে ছাড়া দু'জনকে আচার্যের পদে নিযুক্ত করা হয়েছে। তাঁরাই সভা পরিচালনা করেন। আহত প্রবীণরা এটা সহ্য করতে পারছেন না। ব্রাহ্ম সমাজের বন্ধনকে অটুট রাখার জন্যে কেশবচন্দ্র প্রধান আচার্য হিসেবে কাগজে বিজ্ঞাপন দিয়ে একটি সভা আহ্বান করলেন। উদ্দেশ্য, একটি প্রতিনিধি সভা গঠন করা। সমস্ত শাখার সম্পাদকদের প্রতি নিবেদন যে, 'তাঁহারা সমাজ সংক্রান্ত ব্রাহ্মদিগের অভিমতানুসারে কলিকাতা প্রবাসী অথবা নিবাসী কোনও ব্রাহ্মকে প্রতিনিধি নিযুক্ত করিয়া, সেই সেই প্রতিনিধির নাম নিম্নস্বাক্ষরকারীর নিকট পাঠাইয়া দেন, এবং ওই দিবসে উক্ত সভায় উপস্থিত থাকিতে তাঁহাদিগকে উপদেশ প্রদান করেন। শ্রীকেশবচন্দ্র সেন, কলকাতা ব্রাহ্মসমাজের সম্পাদক। ১৮৬৪ সাল, ৩০ অক্টোবর এই সভা হল। মহর্ষি নিজে উপস্থিত রইলেন। কেশবচন্দ্রের উদ্দেশে কি বললেন। সভায় স্থির হল নিয়ম, উপনিয়ম তৈরি করবেন, শ্রীযুক্ত দেবেন্দ্রনাথ ঠাকুর, কেশবচন্দ্র সেন, প্যারিচাঁদ মিত্র, ঈশ্বরচন্দ্র নন্দী। এই সভাটি হয়ে যাওয়ার পরেই যে দল মহর্ষিকে কেশবচন্দ্র সম্পর্কে উত্তেজিত করছিলেন, তাঁরা বললেন—এখন বুঝতে পারছেন আপনার কেশবের মতলবটা কী? আপনাকে একপাশে ফেলে রেখে নিজের পেয়ারের লোকজন নিয়ে সমাজটিকে দখল করতে চাইছে। দেবেন্দ্রনাথ একটু নড়ে বসলেন। শুরু হল দাবার চাল। কলকাতা সমাজের বাড়িটির সংস্কার প্রয়োজন। সেই কারণে স্থির হল উপাসনা হবে মহর্ষিগৃহে।

মহর্ষিগৃহের প্রথম উপাসনার প্রবীণরা খুব সুন্দর একটি চাল চাললেন। উপবীত ত্যাগী উপাচার্যরা আসার আগেই উপবীতধারী ব্যক্তিরা উপাচার্যের কাজ আরম্ভ করে দিলেন। এমন কেন হল এই প্রশ্নের উত্তরে তাঁরা বললেন, এ তো আর সমাজ গৃহ নয়, এ একজনের বাড়ি। যাঁরা এই উত্তর দিলেন তাঁদের কথায় যে কোনও যুক্তি নেই সেটি বোঝা গেল এইভাবে—'কাগজে বিজ্ঞাপন দিয়ে জানান হয়েছে সমাজগৃহের সংস্কার

চলার কারণে মহর্ষি আলয়ে এই সভা হবে।' এটি একটি ঘোষিত ব্রাহ্মসমাজেরই অনুষ্ঠান। এ যুক্তি টেঁকে না। ইতিমধ্যে মহর্ষি দেবেন্দ্রনাথ ঠাকুর কোনওরকম কোনও সভা আহ্বান না করে, কারওকে কিছু না বলে কেশবচন্দ্র এবং তাঁর অনুগামীদের সরিয়ে দিয়ে নিজেকে ট্রাস্টি ঘোষণা করে কলকাতা ব্রাহ্মসমাজের সমস্ত ভার নিজেই নিয়ে নিলেন।

কেশবচন্দ্র তত্ত্ববোধিনী পত্রিকায় একটি বিজ্ঞাপন দিলেন। আর একটি বিজ্ঞাপন দিলেন দেবেন্দ্রনাথ ঠাকুর।

বিজ্ঞাপন ১ : 'কলিকাতা ব্রাহ্মসমাজের কার্য্যের ভার তাহার ট্রষ্টী শ্রীযুক্ত দেবেন্দ্রনাথ ঠাকুর মহাশয় স্বয়ং গ্রহণ করাতে, তৎ সংক্রান্ত সম্পত্তির সহিত আমাদের সম্বন্ধ অদ্যাবধি শেষ হইল।

শ্রী তারকনাথ দত্ত
শ্রী উমানাথ গুপ্ত,
অধ্যক্ষ

শ্রী কেশবচন্দ্র সেন—সম্পাদক।
শ্রী প্রতাপচন্দ্র মজুমদার—সহকারী সম্পাদক।

বিজ্ঞাপন-২ : 'কলিকাতা সমাজের ট্রষ্টডীড অনুযায়ী উপাসনা কার্য্যসম্পাদনের জন্য, শ্রীযুক্ত দ্বিজেন্দ্রনাথ ঠাকুরকে তাহার সম্পাদকীয় কার্য্যে নিযুক্ত করা গেল এবং যাবতীয় ট্রষ্ট সম্পত্তি তাঁহার হস্তে অর্পিত হইল। কলিকাতা ব্রাহ্মসমাজের সম্পাদকের সহায়তা নিমিত্ত, শ্রীযুক্ত অযোধ্যানাথ পাকড়াশী মহাশয়কে সহকারী সম্পাদকের পদে নিযুক্ত করিলাম।

শ্রী দেবেন্দ্রনাথ ঠাকুর
কলিকাতা ব্রাহ্মসমাজের ট্রষ্টী।'

অনেকরকম ভাঙন প্রকৃতিতে আছে। পরিবার ভাঙে, বাঁধ ভাঙে, বাড়ি ভেঙে পড়ে যায়। একটি অতি মধুর সম্পর্ক, যাকে বলা যেতে পারে শতাব্দীর বিশেষ একটি ঘটনা—সেটি কেমন করে তিক্ত থেকে তিক্ততর হতে হতে নিঃশব্দ একটি বিস্ফোরণের আকার নিল! জোড়াসাঁকোর বৃদ্ধ যুধিষ্ঠির তাঁর গাণ্ডীবধারী অর্জুন থেকে বিচ্ছিন্ন হলেন। কেশবচন্দ্র তিনটি যুদ্ধের কথা বলেছেন। প্রথম যুদ্ধ—একেশ্বরবাদের। রাজা রামমোহন এর

উদ্গাতা। দ্বিতীয় যুদ্ধ—বিবেকের যুদ্ধ। সেটি কী জিনিস? সংকীর্ণ ভ্রাতৃমণ্ডলীর মধ্যে বিচ্ছেদ। মানুষ চিরকালই পুরনোভাবের সঙ্গে দিন কাটাতে কাটাতে সেই সব ভাবেরই অভ্যস্ত হয়ে পড়ে। তখন হঠাৎ নতুন ভাব সামনে এলে তারা সহ্য করতে পারে না। বিরোধ তৈরি হয়। যাঁরা শুধু জ্ঞান নিয়েই সন্তুষ্ট থাকতে চাইলেন তাঁরা যে ক'জন সেই জ্ঞান জীবনে পরিণত করার জন্য দৃঢ়প্রতিজ্ঞ ও ব্যাকুল হলেন তাঁদের সহ্য করতে পারলেন না। ব্রাহ্ম সমাজের ভেতরে এইরকমই একটা বিরোধ মাথাচাড়া দিল। জীবনে যাঁরা ধর্মকে প্রতিফলিত করতে চাইলেন তাঁরা বললেন—সপ্তাহে একদিন সামাজিক ব্রহ্মোপাসনা অর্থহীন। সমস্ত জীবন দিয়ে ঈশ্বরের সেবা—এরই নাম ফলিত ধর্ম। বিবেকের জাগরণই ধর্ম। জীবনকে পুতুলের মতো ফেলে রাখ জাগ্রত বিবেকের পদতলে। ঠিক এইরকম একটি কথাই স্বামীজি বলবেন। এই দ্বিতীয় যুদ্ধটিই হল ঘোরতর যুদ্ধ।

কেশবচন্দ্র লিখছেন, 'এই দ্বিতীয় যুদ্ধ ঘোরতর যুদ্ধ। বিধাতাপুরুষ তাঁহার অনন্ত সিংহাসনে বসিয়া এই যুদ্ধ দেখিতে লাগিলেন, এবং তাঁহার বিবেকপরায়ণ নব্য যুবাদলের মনে স্বর্গীয় সৎ সাহস এবং দুর্নিবার উৎসাহানল প্রজ্বলিত করিয়া দিতে লাগিলেন। পরিশেষে বিবেক জয় লাভ করিল। বিবেকী ব্রহ্মানুরাগী দল জীবন্তভাবে বিবেকের রাজ্য বিস্তার করিতে লাগিলেন। প্রাচীন ব্রহ্মবাদিগণ ক্রমশঃ শুভ নির্জীব ও নিস্তেজ হইয়া পড়িলেন এবং কঠোর নিয়মতন্ত্র হইয়া জীবনশূন্য ধর্ম্মচর্চ্চা করিতে লাগিলেন।'

চমৎকার একটি কথা জীবনশূন্য ধর্ম। হাওয়ায় লাঠি ঘোরান, উদ্দেশ্যহীন ভ্রমণ, অর্থহীন বাগাড়ম্বর, প্রাণহীন পূজা, আনন্দশূন্য উৎসব, প্রগতিশূন্য সভ্যতা—পৃথিবীর এইসবই এক মস্ত উপহাস। সেই যাওয়াটাই যাওয়া। মানুষ অজস্র-সাফল্যের কথা বলেন। অজস্র গঠনের কথা বলেন। কিন্তু একবার ভেবেও দেখেন না এইসব কথার উৎস মূল কোথায়? কেশবচন্দ্র এক প্রেরিত পুরুষ। রামকমল সেন পুত্রকে বলেছিলেন, দেখবে এই কেশবই আমাদের নাম রাখবে। আমরা বল্লাল সেনের উত্তরপুরুষ।

মহর্ষি দেবেন্দ্রনাথের আত্মজীবনীর পরিশিষ্টে আছে—'যে উদ্দেশে মহর্ষি কেশববাবুকে ব্রাহ্মসমাজের আচার্য পদে অভিষিক্ত করিলেন, তাহা সিদ্ধ হইল না। অচিরকাল মধ্যেই প্রাচীন ব্রাহ্মদিগের সহিত নবীন ব্রাহ্মদিগের মনের অনৈক্য দেখা দিল। ক্রমে এই অনৈক্যের ভাব এত বর্দ্ধিত হইল যে তাহা মহর্ষিকৃত আলিবন্ধনকে ভগ্ন করিয়া দ্বিধা হইয়া গেল।' প্রাচীন ব্রাহ্মরা পৈতাধারী ব্রাহ্মণ। ব্রাহ্মণের অভিমানও তাঁদের যথেষ্ট। নবীন ব্রাহ্মরা কেউ কেউ পৈতা ত্যাগ করেছেন, কারও বা পৈতা নেই। এই নবীন ব্রাহ্মরা চেয়েছিলেন, উপবীতধারী ব্রাহ্মরা একই বেদীতে একত্রে বসে উপাসনা করবেন। গোলযোগ এইখানেই।

গোরিটির বাগানে ৭ পৌষ মহর্ষির দীক্ষার দিনে যে উৎসব ও মেলা হয়েছিল, সেখানে দেবেন্দ্রনাথ ঠাকুর অভিমত প্রকাশ করেছিলেন, উপবীত না থাকাই ভালো। ঈশ্বরের উপাসকদের জাতের অভিমান না থাকাই ভালো। এই অনুষ্ঠানে রাখাল দাস হালদার নামে জগদ্দলবাসী এক ব্রাহ্ম ছিলেন। তিনি সেইদিনই বাড়ি ফিরে পৈতা ছুঁড়ে ফেলে দিলেন। একথা জানতে পেরে তাঁর পিতা নিজের বুকে ছুরি বসাতে গেলেন।

৭ পৌষের পর সমাজগৃহে এ বিষয়ে সভা হল। বাইরের লোকজনও বেশ কিছু ছিলেন। সভায় স্থির হল ব্রাহ্মদের পৈতা থাকবে না।

"এই প্রথা প্রবর্ত্তিত হইবার পরে আমি সিমলা পর্ব্বতে ভ্রমণের নিমিত্ত বাহির হই। সিমলা যাইবার পূর্ব্বেই আমি 'ব্রাহ্মধর্ম্ম' গ্রন্থ লিপিবদ্ধ করি। সিমলা হইতে প্রত্যাগমনের পর শ্রীযুক্ত কেশবচন্দ্র সেনের সহিত আমার সম্মিলন হয় এবং আমরা উভয়ে মিলিয়া কায়মনোবাক্যে ব্রাহ্মধর্ম্ম প্রচারে প্রবৃত্ত হই। ব্রাহ্মধর্ম্মে তাঁহার উৎসাহ দেখিয়া ১৭৮৪ শকের (১৮৬২ খ্রীঃ) ১লা বৈশাখে তাঁহার হস্তে 'ব্রাহ্মধর্ম্ম' গ্রন্থ প্রদান করিয়া আমি তাহাকে ব্রাহ্মসমাজের আচার্য পদে বরণ করি।

"এই বৎসরের ১১ই মাঘের উৎসবের প্রাতঃকালের উপাসনা আমার বাটীর প্রাঙ্গণে অনুষ্ঠিত হয়। আমি এই দিন উপাসনার বেদীর সম্মুখে ও পার্শ্বে বহুসংখ্যক নূতন 'ব্রাহ্মধর্ম্ম' গ্রন্থ স্থাপন করিয়া ব্রাহ্মদিগকে ডাকিয়া বলিলাম যে, এই 'ব্রাহ্মধর্ম্ম' গ্রন্থ, আপনারা আসিয়া সকলে ইহার এক এক খণ্ড গ্রহণ করুন। অনেকেই তাহা আগ্রহের সহিত গ্রহণ করিলেন। আমি কেশববাবুকে বলিলাম, পূর্ব্বে 'ব্রাহ্মধর্ম্ম' গ্রন্থ ছিল না, এখন তাহা প্রস্তুত হইল, তুমি ইহা দ্বারা ধর্ম্ম প্রচার করিয়া ব্রাহ্মসমাজের উন্নতি কর। তিনি তাহা স্বীকার করিলেন। পরদিন প্রাতঃকালে কেশববাবু আমার নিকটে আসিয়া প্রস্তাব করিলেন যে 'যেমন এই ব্রাহ্মধর্ম্ম গ্রন্থ প্রচারিত হইল, তাহার সঙ্গে সঙ্গে এই নিয়ম প্রচারিত হউক যে, ব্রাহ্মসমাজের বেদীতে কোনো উপাচার্য উপবীত ধারণ করিয়া বসিতে পারিবেন না।' আমি তাহাতে সম্মত হইলাম না। বলিলাম, উপবীত ধারণ করুন আর না করুন, সাধু ও সৎপাত্র ব্রাহ্মধর্ম্ম-প্রচারের উপযুক্ত হইলে তিনি বেদীতে বসিয়া উপাসনা করিতে পারিবেন, ইহাতে ধর্ম্মের উদারতা রক্ষা পাইবে। এই কথা লইয়া তাঁহাতে আমাতে মতভেদ হইল।

ইহার পরেই এক উপাসনা-রাত্রে দেখি যে, দুইজন উপাচার্য বেদীতে বসিয়াছেন কিন্তু আর একজন নাই। বেদী গ্রহণ করিতে বিজয়কৃষ্ণ গোস্বামীকে আহ্বান করিলাম। তিনি বেদী গ্রহণ করিতে অস্বীকার করিয়া বলিলেন, 'উপবীতধারী উপাচার্যের সহিত বেদীতে বসিয়া আমি উপাসনা করিতে পারিব না। এরূপ করা পাপ। ব্রাহ্মের গলায় উপবীত দেখিয়া আমার কান্না পাইতেছে, উপবীত যেন সর্পের ন্যায় আমাকে দংশন করিতেছে।'

এই গোলযোগে কেশববাবু আর 'ব্রাহ্মধর্ম্ম' গ্রন্থ প্রচারে উৎসাহী হইলেন না। তিনি ব্রাহ্ম ধর্ম্মের উপাসনা-প্রণালী অনুসারে উপাসনা করিতেও বিরত হইলেন। পরন্তু ব্রাহ্মধর্ম্মের উপাসনা-প্রণালীর কিছু সংস্কৃত কিছু বা তাহার বাংলা অনুবাদ করিয়া এক স্বতন্ত্র উপাসনা-প্রণালী স্থির করিলেন, এবং তাঁহার বাড়ির তেতালায় এ সভা করিয়া তদনুসারে সেখানে উপাসনা করিলেন। তাহাই তিনি সাধারণ লোকের মধ্যে প্রচার করিতে প্রবৃত্ত হইলেন।

আমার ব্রাহ্মধর্ম্ম-গ্রহণ হইতে আমার সিমলা হইতে প্রত্যাগমন পর্যন্ত পৌত্তলিক-মতানুসারে আমাদের বাড়ির সকল প্রকার অনুষ্ঠান চলিয়া আসিতেছিল। আমি বাড়িতে আসিয়া দেখিলাম যে, আমার দ্বিতীয়া কন্যার বিবাহকাল উপস্থিত, অথচ আমাকেই কন্যা সম্প্রদান করিতে হইবে। কিন্তু আমি তো আর পৌত্তলিক মতানুসারে কন্যা সম্প্রদান করিতে পারিব না। অতএব আমি আনন্দচন্দ্র বেদান্তবাগীশের সাহায্যে পুরাতন গৃহ্য পদ্ধতি ও তাহার পৌত্তলিক অংশ ও হোমাদি পরিত্যাগ করিয়া এক অনুষ্ঠান পদ্ধতি প্রস্তুত করিলাম এবং তদনুসারে ১৭৮৩ শকের [১৮৬১ খ্রীঃ] ১২ শ্রাবণ দিবসে কন্যার বিবাহ-ক্রিয়া সম্পন্ন করিলাম। এই বিবাহ ক্রিয়া সম্পন্ন করিয়া আমি দেখিলাম যে, আমাদের বাড়ির সকল প্রকার অনুষ্ঠানই এইরূপ অপৌত্তলিক ভাবে সম্পন্ন করা আবশ্যক, অতএব ক্রমে ক্রমে জাত-কর্ম্ম হইতে শ্রাদ্ধ পর্যন্ত সকল অনুষ্ঠানই অপৌত্তলিক ভাবে প্রবর্তন করিলাম। সুতরাং এই পদ্ধতির মধ্যে ব্রাহ্মণের যে উপনয়ন সংস্কার তাহাও স্থান পাইয়াছে।

কেশববাবু যখন নানা প্রকার গোলযোগে পড়িয়া ব্রাহ্মবিবাহের আইন পাস করিবার চেষ্টায় রাজদ্বারে আবদন করিলেন ও ব্রাহ্ম বিবাহের পরিবর্তে সিবিল ম্যারেজ আইন বিধিবদ্ধ হইল, তখন আমার প্রণীত বিবাহের অনুষ্ঠান পদ্ধতির বিশুদ্ধতা ও বিবাহ-সিদ্ধি সম্বন্ধে কাশী, নবদ্বীপ, বিক্রমপুর, ভাটপাড়া প্রভৃতি স্থানের প্রসিদ্ধ অধ্যাপকগণের স্বাক্ষরিত মত সংগৃহীত করিয়া আনাইয়াছিলাম। তাহা এখনও আমার বাড়িতে লৌহ সিন্ধুকে অন্যান্য দলিলপত্রের সহিত রক্ষিত আছে। এই অনুষ্ঠান-পদ্ধতিতে দুই দিক রক্ষা পাইয়াছে—স্বজাতীয় ভাব ও ব্রাহ্মধর্ম।"
[২-১৮-২১]

ইংরেজিতে একটা শব্দ আছে—'ডিং ডং ব্যাটেল'—তাই শুরু হল। একদিকে মহর্ষি দেবেন্দ্রনাথ অন্যদিকে তরুণ কেশবচন্দ্র। কেশবচন্দ্র কি অ্যাম্বিসাস ছিলেন? মহর্ষির দিক থেকে দেখলে সেইরকমই মনে হতে পারে। 'কেশববাবুর ইচ্ছা যে, প্রত্যেক অনুষ্ঠানেই কেশববাবুই আচার্যের কার্য করেন। কোনও উপবীতধারী আচার্য স্থান না পান।' (মহর্ষি)। এইসময় জ্যোতিরিন্দ্রনাথের দীক্ষাগ্রহণের দিন এসে গেল। কেশবচন্দ্রের

ইচ্ছা তিনি এই অনুষ্ঠানের আচার্য হবেন। দেবেন্দ্রনাথ একটু চালাকি করলেন। কেশববাবু আসার আগেই অযোধ্যানাথ পাকড়াশিকে বেদীতে বসিয়ে দিলেন। কেশবচন্দ্র এসে দেখলেন বেদী দখল হয়ে গেছে। কেশবচন্দ্র তাঁর আত্মীয়দের নিয়ে সভা ত্যাগ করে চলে গেলেন। এটি হল প্রথম ঘটনা। দ্বিতীয়টি—নিবারণচন্দ্র মুখোপাধ্যায় একজন ব্রাহ্ম। ভাগলপুর প্রবাসী। তাঁর বিয়ে হবে। কেশবচন্দ্র একটা মনগড়া, অর্থহীন মন্ত্র তৈরি করে ফেললেন। সেই মন্ত্র উচ্চারণ করে বিবাহ হবে। অনুষ্ঠানে মহর্ষিকে যোগ দিতে অনুরোধ করলেন। মহর্ষি দেবেন্দ্রনাথ মনগড়া মন্ত্রের অনুষ্ঠানে যোগ দিলেন না। এদিকে দেবেন্দ্রনাথের সঙ্গে কেশবচন্দ্রের প্রবল ঘনিষ্ঠতা দেখে বিদ্যাসাগর মহাশয় আগেই ব্রাহ্মসমাজ পরিত্যাগ করেছেন। এখন আনন্দচন্দ্র বেদান্তবাগীশ প্রমুখ অধ্যাপক আচার্যেরা কেশবচন্দ্রের উৎপাতে সমাজ ছাড়ার কথা ভাবতে লাগলেন। তখন দেবেন্দ্রনাথ একটি ভয়ঙ্কর সিদ্ধান্ত নিতে বাধ্য হলেন। একটা চিরকুটে পেন্সিল দিয়ে লিখলেন—কেশববাবু সমাজের কাজ থেকে আপনাকে বিরত থাকার অনুরোধ জানাচ্ছি। অপমানিত কেশবচন্দ্র সমাজ পরিত্যাগ করলেন। তবে তিনি একটি কৌশল অবলম্বন করলেন—ব্রাহ্মসমাজ মন্দিরে পৃথক একটি দিনে নিজের ভাবে প্রচার করার ইচ্ছা মহর্ষিকে জানালেন।

আক্ষেপে ভরা কেশবচন্দ্রের চিঠি পেলেন দেবেন্দ্রনাথ। কেশবচন্দ্র লিখলেন, 'আপনি যে সকল পত্র আমাকে লিখিতেন এবং যে প্রকার প্রিয় সম্ভাষণ করিতেন তাহা যে অসাধারণ প্রণয়ের লক্ষণ আপনিও তাহা বিলক্ষণ জ্ঞাত আছেন। বাস্তবিক পিতা পুত্রের যে কোমল নিকট সম্বন্ধ সেই সম্বন্ধেই আমাদিগকে আবদ্ধ করিয়াছিলেন। ইহারই জন্য আপনার বর্তমান ব্যবহার আমার পক্ষে নিতান্ত কষ্টদায়ক হইয়াছে, এবং যখন ইহা স্মরণ করি তখনি হৃদয়ে ভয়ানক আঘাত লাগে।.........' এর পরের চিঠি আরও সাঙ্ঘাতিক। সেই চিঠিতে কেশবচন্দ্র এক জায়গায় লিখছেন—'যদি আপনার এরূপ সংস্কার থাকে যে আমার কার্য হইতে "কালকূট গরল উৎপন্ন হইয়া সকল লোককে অভিভূত করিবে।" তবে ইহাও সিদ্ধান্ত হইতেছে যে, আমি কালসর্পের ন্যায় সমুদয় ব্রাহ্মসমাজকে

বেষ্টন করিয়া আছি, আমায় দূর করিবার যতই চেষ্টা হইবে ততই আমার দংশনে সকল লোক গরলাভিষিক্ত হইবে.....।'

ব্রাহ্মসমাজ দুদলে বিভক্ত হল। দেবেন্দ্রনাথ ঠাকুরের 'আদি সমাজ' ও অপরটি হল কেশবচন্দ্রের 'উন্নতিশীল দল'। ১৮৬৮ সালে উন্নতিশীল দলের মন্দিরের ভিত্তিস্থাপন হল। এইসময় আর এক বড় মানুষের উদয় হচ্ছে। তাঁর নাম—শিবনাথ শাস্ত্রী। শিবনাথ শাস্ত্রী ও কেশবচন্দ্র সেন—দুজনই দক্ষিণেশ্বরের শ্রীরামকৃষ্ণের অতি প্রিয় হয়ে উঠবেন। শ্রীরামকৃষ্ণ দুজনেরই জন্যে থেকে থেকে উতলা হবেন। অসুস্থ কেশবচন্দ্রের জন্যে ঠনঠনিয়ার কালীবাড়িতে ডাব, চিনি মানত করবেন। মা ভবতারিণীকে আক্ষেপ করে বলেছিলেন, মা কেশব চলে গেলে আমি কার সঙ্গে কথা কইব। শ্রীরামকৃষ্ণের ভালোবাসা কেশবচন্দ্রের জীবনের শেষ পাথেয়। একথা বললে খুব অন্যায় করা হবে না। ঝঞ্ঝাবিক্ষুব্ধ কেশবচন্দ্র শ্রীরামকৃষ্ণের কাছে জীবন প্রান্তে ছুটে আসতেন একটি কারণেই, সেটি হল—সমস্ত ধর্মের ঊর্ধ্বে, সমস্ত দলাদলির বাইরে শ্রীরামকৃষ্ণ এক প্রেমময় পুরুষ।

কেশবচন্দ্র এক আবির্ভাব। একথা অস্বীকার করার উপায় নেই। কালের পথে এতদূরে এসে পেছন দিকে তাকালে দেখা যাবে এই মানুষটি ঊনবিংশ শতাব্দীকে প্রায় আচ্ছন্ন করে ফেলেছিলেন। জোড়াসাঁকোর ঠাকুরবাড়ির পাশ দিয়ে যেতে যেতে গভীর রাতে যদি এক জোড়া অলৌকিক হাসি শুনতে পান তাহলে জানবেন, তিনি শুনেছেন দুই মহান পুরুষের খোলা প্রাণের অট্টহাসি। একজন মহর্ষি দেবেন্দ্রনাথ আর একজন ঋষি রাজনারায়ণ। এটি একটি দিক। অন্যদিকে সেই শতাব্দী হাবুডুবু খেয়েছিল কেশবচন্দ্রের জীবন প্রত্যয়ে। তিনি হলেন কালের আবেগ। কেশবচন্দ্র কোনও মানুষ নন, তিনি মহাকালের একটি খণ্ড। সেই কারণেই তিনি দক্ষিণেশ্বরে সময় পেলেই ছুটে যেতেন ঠাকুরের কাছে মা কালীর কথা শোনার জন্যে।

আদি সমাজ দ্বিখণ্ডিত হল কোনও মানুষের কারণে নয়। খণ্ডিত হল যুগের প্রয়োজনে। জগৎ, জীবন, বিশ্বাস, ধর্ম, সবই একটা প্রবাহ। কেশবচন্দ্র যুগের কাণ্ডারী। কালের ঘোড়ার পিঠে চেপে ছুটছেন। মাঝে মাঝে পড়ে যাচ্ছেন আবার ধুলো ঝেড়ে উঠে পড়ছেন। নানাভাবে মহর্ষির

আদি সমাজের সঙ্গে যুক্ত থাকার চেষ্টা অবশেষে ছাড়তেই হল। যোদ্ধা কেশবচন্দ্র এইবার হুঙ্কার দিলেন—"যাঁহারা সংগ্রামের জন্য প্রস্তুত আমরা তাঁহাদিগকে বলিতেছি—এখনিই তরবারি হস্তে গ্রহণ করুন।'

উন্নতিশীল দল থেকে বেরিয়ে এল 'ভারতবাসীর ব্রাহ্ম সমাজ'। ১৮৬৮ সালে উন্নতিশীল দলের নাট্যোৎসব। শিবনাথ শাস্ত্রী এক উৎসাহী ব্রাহ্ম। আদি সমাজেই তাঁর ব্রাহ্মজীবনের শুরু। কেশবচন্দ্রের জনপ্রিয়তা, তাঁর তেজ, তাঁর বক্তৃতার তোড় যুবকদের গ্রাস করেছে। শাস্ত্রীমশাই তখন সদ্য যুবক। এই নাট্যোৎসবে উন্নতিশীল দলের অনুষ্ঠানেই যোগদান করবেন ভেবেছিলেন। কিন্তু শেষপর্যন্ত চলে গেলেন মহর্ষির আদি সমাজে। তিনি লিখছেন—"উপাসনান্তে আদি সমাজের সিঁড়ি দিয়া নামিয়া আসিতেছি; এমন সময় কয়েকজন বাবু আসিতেছেন, তাঁহারা বলিতে বলিতে আসিতেছেন, "মহাশয়, দেখলেন না তো, কেশব শহর মাতিয়ে তুলেছেন।" নগরকীর্তনে হাস্যাস্পদ না হইয়া কৃতকার্য হইয়াছেন, এই কথাটা বড় নূতন লাগিল। আমি জিজ্ঞাসা করিলাম, "মহাশয় সে কি রকম?" তখন তাঁহারা আমার হস্তে নগরকীর্তনের কাগজ দিলেন। আমি সেই সিঁড়িতে দাঁড়াইয়া পড়িতে লাগিলাম। তাহাতে আছে—

তোরা আয়রে ভাই, এত দিনে দুঃখের নিশি হ'ল অবসান,
নগরে উঠিল ব্রহ্মনাম।
নরনারী সাধারণের সমান অধিকার,
যার আছে ভক্তি পাবে মুক্তি, নাহি জাতবিচার। ইত্যাদি।'

ভারতবর্ষীয় ব্রাহ্মসমাজের তখনও কোনও কেন্দ্র ও সঠিক ঠিকানা নেই। যথেষ্ট দুর্দিনই বলা চলে। যে সভায় ভারতবর্ষীয় ব্রাহ্মসমাজ গঠনে প্রস্তাব গৃহীত হয় সেই সভাটি হয়েছিল চিৎপুরে একটি খোলা জায়গায় একটি তাঁবু তৈরি করে। সভা শুরুর আগেই প্রাকৃতিক দুর্যোগ, চিৎপুর রোডে এক কোমর জল, উৎসব মণ্ডপেও এক কোমর জল। এমনিই উৎসাহ সদস্যগণের, তাঁরা ওই জলে দাঁড়িয়েই অনেক রাত্রি পর্যন্ত সভা করলেন। কেশবচন্দ্রের নেতৃত্বের প্রতি তাঁদের এমনিই আস্থা। নিয়মিত অনুষ্ঠান হতে থাকল ঘুরে ঘুরে বিভিন্ন জায়গায়। বেশ কিছুদিন পরে একদিন সঙ্গতসভায় কথা হল—একটা যদি খোলার ঘরও তৈরি করা

যায় তাহলে এইভাবে ঘুরে ঘুরে বেড়াতে হয় না। সঙ্গে সঙ্গে উপস্থিত সভ্যগণ একটি প্রস্তাব গ্রহণ করলেন—প্রত্যেকে এক এক মাসের বেতন এই কাজে দান করবেন। ভাই প্রতাপচন্দ্র মজুমদার দিলেন পাঁচশ টাকা। ভাস্তারার জমিদার যজ্ঞেশ্বর সিংহও পাঁচশ টাকা দিলেন। এই সামান্য চাঁদার ওপর নির্ভর করে কেশবচন্দ্র নিজের দায়িত্বে মেছুয়াবাজার রোডের ওপর ছ'কাটার একটি জমি উকিল মহেন্দ্রলাল সেনের কাছ থেকে কিনলেন। সেই জমির ওপরেই ক্রমে ক্রমে গড়ে উঠল ভারতবর্ষীয় ব্রাহ্মসমাজ (বর্তমানে ওই রাস্তার নাম কেশবচন্দ্র সেন স্ট্রিট)।

ব্রাহ্মধর্মের প্রচার ও প্রসার ভারতবর্ষের তখন তুঙ্গে। কেশবচন্দ্র অগ্নিগোলকের মতো ছুটে বেড়াচ্ছেন। একথা অস্বীকার করার উপায় নেই তিনি একটি শক্তির ধারক। ঈশ্বরের সঙ্গে নিবিড় প্রার্থনার মাধ্যমে একটি যোগ তৈরি হয়ে গেছে, একটি সেতু। একবার বেলুড় মঠে স্বামী ব্রহ্মানন্দজিকে জনৈক ভক্ত প্রশ্ন করেছিলেন, 'ভগবান শ্রীরামকৃষ্ণ কি করতে এসেছিলেন, কি করে গেছেন?' স্বামী ব্রহ্মানন্দজি একটি কথা বলেছিলেন, যার কোনও তুলনা নেই—'তিনি জীবলোক ও শিবলোকের মধ্যে একটি সেতু তৈরি করে দিয়েছেন। যাঁর যখন খুশি এই দুই লোকের মাঝখানে ইচ্ছামতো বিচরণ করতে পারেন।' কেশবচন্দ্রও শৈশব থেকেই প্রার্থনার মাধ্যমে অনন্তের সঙ্গে সংযুক্ত হয়ে গিয়েছিলেন। সেই কারণেই শ্রীরামকৃষ্ণ তাঁকে চিনতে পেরেছিলেন। ব্রাহ্ম, শাক্ত, শৈব্য—এর কোনটা কি, সে বিচারের কোনও প্রয়োজন নেই কেশবের ক্ষেত্রে, একমাত্র তাঁর ফাতনাই ডুবেছে।

বৃদ্ধ ব্রাহ্মরা তাঁদের মতো তাঁদের জায়গাতেই রইলেন। মহর্ষি কখনও হিমালয়ে কখনও কলকাতায়। এদিকে ইংরেজি পড়া কলেজের যুবকরা কেশবে মেতে উঠলেন। তাঁর দলে দুজনকে চিনে নিতে অসুবিধে হবে না। একজন সিমুলিয়ার নরেন্দ্রনাথ, আর একজন জমিদার পুত্র রাখালচন্দ্র ঘোষ। ভাগলপুরের কুমার নিত্যানন্দ সিংহের গৃহশিক্ষক মথুরানাথ সিংহ ভাগলপুরেই স্বামীজিকে পরিব্রাজক অবস্থায় দেখেছিলেন। স্বামীজি সিংহ পরিবারের অভিভাবক মন্মথ চৌধুরীর বাড়িতে সাতদিন ছিলেন। মথুরানাথও ওই বাড়িতেই থাকতেন। স্বামীজিকে দেখামাত্রই তাঁর মনে পড়েছিল—

কলকাতার কলেজে নরেন্দ্রনাথ যখন পড়তেন তখন তিনি ব্রাহ্ম সমাজে প্রার্থনা সঙ্গীত পরিচালিত করতেন। সেইসময় মথুরানাথবাবুর সঙ্গে ঘনিষ্ঠতা হয়েছিল। সাহিত্য, দর্শন ও ধর্ম—এই তিনটি বিষয়ে স্বামীজির সঙ্গে ঘন্টার পর ঘন্টা আলোচনা হত। সেই কলকাতায় কেশবচন্দ্র একটা ঝড় তুলেছিলেন। শিক্ষিত ব্রাহ্মরা ভারতবর্ষের বিভিন্ন প্রান্তে বড় বড় পদে প্রতিষ্ঠিত হচ্ছিলেন। কেশবচন্দ্র যখন যিশুর বিষয়ে ঘন্টার পর ঘন্টা বক্তৃতা করতেন তখন পাদ্রিরাও মুগ্ধ হয়ে যেতেন। তাঁদের মনে হত এই মানুষটা কোনো ধর্মাবলম্বী। একসময় এমন কথাও চাউর হল—কেশবচন্দ্র যিশুখ্রিস্টেরই জাগরিত রূপ।

সমাজগৃহ যেমন হল, কেশবচন্দ্র বেশ অনুভব করলেন, পৈতৃক বাড়িতে তাঁর পক্ষে থাকা সম্ভব নয়। গোঁড়া হিন্দুদের চালচলন, মত, ধর্মীয় অনুষ্ঠানাদি সহ্য করা যায় না। কলকাতায় কেশবচন্দ্র যেমন বিখ্যাত, সেইরকমই বিখ্যাত হয়ে উঠবে তাঁর নিজস্ব আবাসস্থল 'কমলকুটির'। সেইসময় ৭২ নম্বর (পরবর্তীকালে ৭৮ নম্বর) সার্কুলার রোডে উদ্যান সংযুক্ত একটি প্রশস্ত দোতলা বাড়ি ছিল। খ্রিস্টান অনাথ বালিকাদের নিবাস ও বিদ্যালয়। সেই সময় মিস পিগট ছিলেন এই অনুষ্ঠানের লেডি সুপারিন্টেন্ডেন্ট। এই বাড়িটি কেনায় তিনি কেশবচন্দ্রকে আন্তরিক সাহায্য করেছিলেন। একদিনের মধ্যে সমস্ত কাগজপত্রের হস্তান্তর ও আইনানুগ রেজিস্ট্রি করিয়ে দিয়েছিলেন—যা প্রায় জমি, বাড়ি কেনাবেচার ব্যাপারে অস্বাভাবিক ঘটনা। সম্পত্তির মালিক ছিলেন একজন আর্মেনিয়ান।

ঈশ্বরের কৃপাধন্য কেশবচন্দ্রের জীবনে পদে পদে বাধা ও গোলযোগ। ব্যাখ্যা এই হতে পারে—নদী যত বাধা পায় স্রোত তত খর হয়। এই সম্পত্তিটি কেনার জন্যে অর্থের প্রয়োজন। কেশবচন্দ্র যা কিছু পৈতৃক সম্পত্তি ছিল বিক্রি করে দিলেন। শুধু প্রেসটি রইল। যে প্রেস থেকে ইন্ডিয়ান মিরর ইত্যাদি ছাপা হত। কলুটোলার পৈতৃক গৃহের অংশ ছোটভাই কৃষ্ণবিহারী সেন কিনে নিলেন। মিস পিগটের এই স্কুলে যদুমণি ঘোষ নামক এক উড়িষ্যাদেশীয় যুবক থাকতেন। ব্রাহ্মসমাজের কাজে আত্মনিয়োগ করার প্রবল অভিপ্রায়। তিনি দেশের সমস্ত সম্পত্তি বিক্রি করে প্রায় বিশ হাজার টাকা নিয়ে কেশবচন্দ্রের কাছে গিয়ে বললেন,

এই টাকা আমি ভারতবর্ষীয় ব্রাহ্ম সমাজকে অর্পণ করতে চাই। কেশবচন্দ্র এই উৎসাহী যুবকটির টাকা নেওয়াটা যুক্তিযুক্ত হবে না মনে করলেন। পরিবর্তে তিনি যুবকটির নামে ব্যাংকে একটি অ্যাকাউন্ট খুলে টাকাটা জমা করে দিলেন। এদিকে স্থাবর, অস্থাবর যা ছিল সব বিক্রি করেও বাড়িটির সমস্ত মূল্য শোধ করা সম্ভব হল না। যাঁদের যাঁদের নিজের সম্পত্তি বিক্রি করেছিলেন তাঁদের অনেকেই পুরো টাকা মিটিয়ে দেননি। কেশবচন্দ্র আর কোনও উপায় না দেখে যদুমণির কাছে ঋণ হিসেবে টাকাটি নিলেন আর বললেন, কমলকুটিরের উত্তরদিকে তাঁকে একটি বাড়ি তৈরি করে দেবেন। সেই অনুযায়ী ভিত পর্যন্ত গাঁথনিও উঠল। এরপরে যা হল সেই বর্ণনা আছে শিবনাথ শাস্ত্রীর আত্মচরিতে। তিনি লিখেছেন,

'ইহার কিছু পরে, একটি ঘটনা ঘটে যাহা উল্লেখযোগ্য। একদিন প্রাতে ৯৩ নম্বর কলেজ স্ট্রিটে বসিয়া ব্রাহ্ম পাবলিক ওপিনিয়নের বা তত্ত্বকৌমুদীর কপি লিখিতেছি, এমন সময় যদুমণি ঘোষ নামে একজন ব্রাহ্ম বন্ধু আসিয়া উপস্থিত। ইনি উড়িষ্যাজাত বাঙালি ছিলেন এবং ইহাকে আমরা কেশববাবুর বিশেষ অনুগত প্রচারকদলে প্রবেশার্থী শিষ্য বলিয়া জানিতাম। আমি উঠিয়া অভ্যর্থনা করিতে না করিতে যদুমণি জিজ্ঞাসা করিলেন, 'মশাই, বিনা স্ট্যাম্পে হ্যাণ্ডনোটে নালিশ চলে কি না?'

আমি। বসুন বসুন, সে কথা পরে হবে।

যদুমণি। পরে বস্‌ছি, বলুন না, নালিশ চলে কি না?

আমি। যতদূর জানি, চলে না।

যদুমণি। যাঃ, তবে তো আমার অনেক হাজার টাকা গেল।

আমি। সে কি? কার নামে নালিশ কর্‌বেন?

যদুমণি। কেশবচন্দ্র সেনের নামে।

আমি। সে কি! কেশববাবুর নামে নালিশ।

তৎপরে যদুবাবু বলিলেন যে, কেশববাবু কমল কুটীর কিনিবার সময় তাঁর নিকট কয়েক সহস্র টাকা কর্জ লইয়া একখানি হ্যাণ্ডনোট লিখিয়া দিয়াছেন, তাহাতে স্ট্যাম্প দেন নাই। পরে কথা হইয়াছে যে, কমল কুটীরের উত্তরে মঙ্গলবাড়িপাড়ায় যদুমণির জন্য একটি বাড়ি নির্মিত হইবে, সেই জমির দাম ও গৃহনির্মাণের ব্যয় বাদে যে টাকা প্রাপ্য থাকিবে

তাহা যদুমণিকে প্রদত্ত হইবে। এই প্রস্তাবে যদুমণি স্বীকৃত হইয়াছিলেন, কিন্তু পরে তাঁহার চিত্ত বিচলিত হইয়াছে।

আমি বলিলাম, ‘‘বিনা স্ট্যাম্পে হ্যাণ্ডনোটখানা দেওয়া ভালো হয় নাই। যদি হ্যাণ্ডনোট দিলেন, তবে স্ট্যাম্প দিয়ে দেওয়াই ভালো ছিল, কিন্তু আপনি এজন্য কেশববাবুর প্রতি সন্দেহ করলেন কেন? হ্যাণ্ডনোটেরই বা কি প্রয়োজন? তাঁর পৈতৃক সম্পত্তির অংশ কি নাই? তিনি কি মনে কর্‌লে আপনার টাকা দিতে পারেন না? আর আপনি তাঁকে না ব’লেই বা ছুটে বাহির হলেন কেন?’’

দেখিলাম, তাঁহাকে বুঝাইয়া শান্ত করাই দায়। তাঁহার চক্ষু দুটির প্রতি দৃষ্টিপাত করিয়াই মনে হইল, উন্মাদ লক্ষণ। তৎপরে যে ভয়ানক কথা বলিলেন, তাহা শুনিয়া আর আমার সন্দেহ রহিল না। তিনি বলিলেন, ‘‘গতকল্য বৈকালে ঝি আমার দুধ জ্বাল দিতেছিল, কেশববাবুর গৃহিণী ঝিকে বলিলেন, ‘ঝি, তুই কাজে যা, আমি দুধ জ্বাল দিচ্ছি।’ বলিয়া দুধ জ্বাল দিতে বসিলেন। বলুন, আমার দুধ জ্বাল দিবার জন্য কেশববাবুর স্ত্রীর এত গরজ কেন?’’

আমি। এ তো খুব ভাল কথা; এজন্য ত তাঁর প্রতি আপনার কৃতজ্ঞ হওয়াই উচিত। আপনি তাঁদের বাড়িতে থাকেন, তাঁরা সন্তানের ন্যায় দেখেন; কিন্তু অন্য কাজ আছে, তাকে সরিয়ে ঠাকরুন আপনার দুধ জ্বাল দিতে বস্‌লেন, এ তো মায়ের কাজ করলেন। এর ভিতরে আবার কি আছে? তাঁর ভালোবাসার জন্য তাঁকে ধন্যবাদ করা উচিত।

যদুমণি। না, আপনি বুঝলেন না। আমাকে বিষ খাওয়াবার চেষ্টা, তা হ’লে আর টাকাগুলো দিতে হবে না।

আমি (দুই কানে হাত দিয়া)। ছি, ছি, এমন কথা শুনলেও পাপ হয়। আপনি ওই সাধ্বী সতী সরলহৃদয়া নারীকে আজও চেনেন নাই।

যদুমণি। আচ্ছা, আমি ভুবনমোহন দাস এটর্নির নিকট চল্‌লাম। আইনাসুসারে কি করা যায় আমাকে দেখতে হবে।

আমি উঠিয়া হাতে ধরিলাম, ‘‘বসুন বসুন, যা করবার আমরা ক’রে দেব, ব্যস্ত হবেন না। স্নান করুন, আহার করুন, শান্ত হোন।’’

তিনি আমার অনুরোধ উপরোধের প্রতি কর্ণপাত না করিয়া আমার হাত ছাড়াইয়া ভবানীপুর যাত্রা করিলেন।

আমার লেখা পড়িয়া রহিল। আমি তখনই ভুবনমোহন দাসকে লোকের হস্তে এক পত্র পাঠাইলাম, যেন এই উন্মাদগ্রস্ত ব্যক্তির কথায় তিনি কর্ণপাত না করেন। ভুবনবাবুকে পত্র লিখিয়াই কমল কুটীরে কেশববাবুর নিকট ছুটিলাম। তাঁহাকে গিয়া সমুদয় বিবরণ বলিলাম।

কেশববাবু! কি আশ্চর্য! ওর মনে মনে এত সন্দেহ হচ্ছে, তার কিছুই তো আমাকে জানতে দেয়নি।

আমি। এই তো আমারই আশ্চর্য মনে হচ্ছে। আপনি হ্যাণ্ডনোট যদি দিলেন, তাতে স্ট্যাম্প দেওয়া উচিত ছিল। ঐটে তার সন্দেহের কারণ হয়েছে।

কেশববাবু। আরে, ওই হ্যান্ডনোট কি সে নেয়? কোনও মতে নিতে চায় না, অবশেষে কতটা টাকা নেওয়া গেল তার একটা লিখিত নিদর্শন তার কাছে রাখবার জন্য আমি জোর ক'রে এটা লিখে দিলাম।

তিনি বলিলেন, যে এক সপ্তাহের মধ্যে তার টাকা ফেলিয়া দিবেন, এবং পরে তাহাই দিয়াছিলেন। যদুমণির জন্য যে বাড়ি নির্মিত হইয়াছিল, তাহা অপরকে দেওয়া হইল।

যদুমণি টাকা লইয়া দেশ ভ্রমণে বাহির হইলেন। পরিশেষে ইওরোপে গিয়া কালগ্রাসে পতিত হন। এস্থলে ইহাও উল্লেখযোগ্য যে, ভুবনমোহন দাস মহাশয়ও এটর্নির পত্র না দিয়া, টাকাটা ফেলিয়া দিবার জন্য অনুরোধ করিয়া কেশববাবুকে বন্ধুভাবে গোপনে পত্র লিখিয়াছিলেন।

কিন্তু হায়, বলিতে লজ্জা হইতেছে। দলাদলিকে শত ধিক্কার দিতে ইচ্ছা করিতেছে। ইহা মানব প্রকৃতিকে কিরূপ বিকৃত করে ভাবিয়া দুঃখ হইতেছে। ইহার পরেও কেশববাবুর অনুগত প্রচারকগণ তাঁহাদের সংবাদপত্রাদিতে শ্লেষ করিয়া লিখিলেন যে বিরোধী দল কি কম করিয়াছেন, আচার্যের নামে নালিশ পর্য্যন্ত করাইবার চেষ্টা করিয়াছেন। এবং ওই শ্লেষের ভঙ্গীতে বুঝিতে পারা গেল যে, তাঁহাদের অভিপ্রায় যে আমি প্রধানতঃ ওই কার্য্যে উদ্যোগী ছিলাম। ওই শ্লেষোক্তি পাঠ করিয়া আমার চক্ষে জলধারা বহিল, এবং দলাদলির অনিষ্ট ফল মনে বড়ই জাগিয়া উঠিল।'

শাস্ত্রীমহাশয় দলাদলির কথা বলে আক্ষেপ করলেন। কিন্তু এরপরে

ভারতবর্ষীয় ব্রাহ্মসমাজ যখন দু টুকরো হবে সেই খণ্ডিকরণে কোনো ব্রাহ্মগণ উৎসাহী হয়েছিলেন। আদি সমাজ ভাঙল দুটি কারণে তা পূর্বেই বলা হয়েছে, এইবার কেশববাবুর সমাজ যে দুটি কারণে ভাঙবে তার একটি হল 'নরপূজা'। এ এক অদ্ভুত ব্যাপার। মুঙ্গেরের উৎসাহী ব্রাহ্মরা কেশবচন্দ্র সেনকে প্রভু, প্রভু বলতে লাগলেন। শুরু হল তাঁর চরণপূজা। ব্রাহ্মধর্মে ব্যক্তিপূজার স্থান নেই। কোনও পূজাই নেই, আছে প্রার্থনা। কেশবচন্দ্রকে বলা হতে লাগল 'ত্রাণকর্তা'। চতুর্দিকে শুরু হয়ে গেল তুমুল আন্দোলন। দুজন উৎসাহী প্রচারক যদুনাথ চক্রবর্তী ও বিজয়কৃষ্ণ গোস্বামী কেশববাবুর সমাজ থেকে বেরিয়ে এলেন। গোঁসাইজী চলে গেলেন শান্তিপুরে নিজের বাড়িতে। গোস্বামীজি বাড়িতে ফিরে গিয়ে চিকিৎসাকার্যে ব্রতী হলেন। দক্ষিণেশ্বরে ঠাকুরের কাছে যাওয়া-আসা বাড়ল। ঠাকুর বললেন—বিজয়, অনেক আচার্যগিরি করেছ। এবার নিজের কথা ভাব। ভুলে যেও না তুমি অদ্বৈত মহাপ্রভুর বংশধর। গোস্বামীজির জীবনটাই ঘুরে গেল। শুরু হল তাঁর নিবিড়, নিবিষ্ট সাধনভজন। অলৌকিক ক্ষমতাধারী এক মহাযোগীতে রূপান্তরিত হলেন। সাধন জগতে প্রকাশিত হল এক নতুন ধারা।

একটা কিছু হলে তার থেকে অনেককিছু হয়। নদীর যেমন শাখাপ্রশাখা বেরোয়। কেশববাবুর খ্রিস্টভজনা, বাইবেল পাঠ, খ্রিস্টানদের উৎসবের সময় ব্রাহ্মসমাজের ভূমিকা ইত্যাদি অনেকদিন ধরেই চলছিল। ১৮৬৬ সালে কেশববাবু অসাধারণ একটি বক্তৃতা করলেন, 'Jesus Christ, Asia and Europe'। এই বক্তৃতার প্রশংসা এমন ছড়াল তৎকালীন গভর্নর জেনারেল লর্ড লরেন্স কেশববাবুর বন্ধু হয়ে গেলেন। আর যখন দেখা গেল সাহেবসুবোরা কেশব সেনকে নিয়ে মাতামাতি করছেন তখন একটি শাখা প্রকাশিত হল, তার নাম 'আনন্দবাদী দল'। এই দলের নেতা হলেন অমৃত বাজারের শিশিরকুমার ঘোষ ও তাঁর ভ্রাতৃগণ। ফলে দলের ভেতর প্রভাবশালী আর একটা দল ঢুকে পড়ল। এরমধ্যে বিজয়কৃষ্ণ গোস্বামীজি হরিনাম সংকীর্তন ঢুকিয়ে দিলেন। একদিকে চলল খ্রিস্টানদের মতো পাপপুণ্যের বিচার, অনুতাপ, অনুশোচনা, হায়, হায়, বুক চাপড়ানো। আর একদিকে খোলকরতাল সহ হরিনাম সংকীর্তন। এইরকম একটা সময়ে দক্ষিণেশ্বরের ঠাকুর উপযাচক হয়ে বেলঘরের বাগানে গিয়ে কেশবচন্দ্রের সঙ্গে আলাপ করলেন। তাঁর বেশভূষার কোনও বালাই নেই। গড়গড় করে ইংরেজি বলেন না। ঝর ঝর করে সংস্কৃত শ্লোক ঝাড়েন না। তিনি শুধু দেখেন, তিনি শুধু হাসেন। কেশবচন্দ্রের এই গুণটি ছিল—ধর্মপ্রাণ মানুষদের তিনি উপেক্ষা করতে পারতেন না। তাঁর স্ট্যাটাস যেমনিই হক। দিবদ্বিপ্রহরে ক্ষণকালের এই মিলনটি মহাকালে গিয়ে ঠেকল। একসময় ঠাকুর বলতে বাধ্য হলেন—ও, কেশব, ভক্তিমার্গের কথা আমার কাছে আর বেশি শুন না, তাহলে তোমার দল-টল আর থাকবে না। ভয়ঙ্কর ভবিষ্যদ্বাণী। জীবনের শেষপ্রহরে ভগবান ছাড়া কেশবচন্দ্রের আর কেউ ছিলেন কি!

আনন্দবাদী দলের কাণ্ডকারখানা দেখে ব্রাহ্মগোষ্ঠী থেকে আর একটি

দল নিষ্ক্রান্ত হল। আনন্দবাদী দলের বক্তব্য ছিল—'এত অনুতাপ ও ক্রন্দন কেন? প্রেমময়ের গৃহে এত ক্রন্দনের রোল কেন? আনন্দময়ের প্রেমমুখ দেখিয়া আনন্দিত হও। আগেই বলা হয়েছে, এই দলের নেতা ছিলেন শিশিরকুমার। শিশিরবাবুর সঙ্গে আবার গিরিশচন্দ্র ঘোষের যথেষ্ট হৃদ্যতা ছিল, শিশিরবাবু গিরিশচন্দ্র ঘোষকে নিয়ে এক সন্ধ্যায় বলরামভবনে শ্রীরামকৃষ্ণ পরমহংসদেবকে দেখতে যান। গিরিশচন্দ্র কোনও ধর্ম মানেন না, ঘোরতর নাস্তিক। শিশিরবাবু ব্রাহ্ম বৈষ্ণব অথবা বৈষ্ণব ব্রাহ্ম। শব্দ দুটির এদিক ওদিক। ঠাকুরের আসরে কিছুক্ষণ বসে থাকার পর শিশিরবাবু বন্ধু গিরিশচন্দ্রকে বলেছিলেন, কি আর দেখবে, চল। গিরিশচন্দ্র উঠে গেলেও চিরকালের জন্য তাঁর আত্মশরীর শ্রীরাম কৃষ্ণের চরণে আটকে রইল। এই হল খেলা।

১৮৬৯ সাল। মাঘোৎসব। মুঙ্গেরের ব্রাহ্মরা উপাসনার শেষে কেশববাবুর পা দুটি ধরে কাঁদতে কাঁদতে প্রার্থনা শুরু করলেন। সভায় উপস্থিত ছিলেন শিশিরবাবুর দাদা হেমন্তবাবু। এই দৃশ্য দেখে তিনি প্রতিবাদে ফেটে পড়লেন। রাগ করে চলে গেলেন। ত্রৈলোক্যনাথ সান্যালও বিরক্তি প্রকাশ করে সভার বাইরে প্রস্থান করলেন। দর্শক হয়ে বসে রইলেন শিবনাথ শাস্ত্রী। এই মাঘোৎসব হচ্ছিল ভারতবর্ষীয় ব্রাহ্ম মন্দিরের অসম্পূর্ণ বাড়িতে চাঁদোয়া খাটিয়ে।

এই ঘটনার পর থেকে অমৃতবাজারের দল ক্রমশই দূরে সরে গেলেন। পটলডাঙার পটুয়াটোলায় যশোরের লোকদের একটি ডেরা ছিল। আনন্দবাদী দলের সদস্যরা শিশিরবাবুকে নিয়ে সেইখানেই সংকীর্তন বসাতেন। শিশিরবাবু চমৎকার কীর্তন গাইতেন। লোকে শুনে পাগল হয়ে যেতেন। তাঁর একটি গান শ্রোতাদের মুখে মুখে ঘুরত—

মা যার আনন্দময়ী তার কি বা নিরানন্দ?
তবে কেন রোগে শোকে পাপে তাপে বৃথা কান্দ?
মাঝখানে জননী ব'সে, সন্তানগণ তার চারি পাশে,
ভাসাইয়াছেন প্রেমময়ী প্রেমনীরে।
একবার বাহু তুলে মা মা ব'লে নৃত্য কর সন্তানবৃন্দ।

কেশবচন্দ্রের সঙ্গে শিবনাথ শাস্ত্রীর অন্তরঙ্গতা ক্রমশই বাড়তে লাগল।

অনেকে বলতে লাগলেন, ‘শিবনাথ, দেখে মনে হচ্ছে কেশববাবুর মনের একটা চাবি তোমার কাছে আছে। কারণ তাঁকে আমরা কখনও হাসি, ঠাট্টা করতে দেখিনি। যা তিনি তোমার সঙ্গে করেন। মনের সব কথাই তোমাকে খুলে বলেন।’ কমলকুটিরের উদ্যানে কেশবচন্দ্র যেন খেয়ালি এক প্রজাপতি। এখানে তিনি নিজের ইচ্ছামতো যা খুশি তাই করতে পারেন। কখনও বসে আছেন ধ্যানে, কখনও গেরুয়া আলখাল্লা পরে ভিক্ষাপাত্র হাতে পরিবার পরিজনের কাছেই ভিক্ষা চাইছেন। একই সঙ্গে খ্রিস্ট, গৌতমবুদ্ধ, মহাপ্রভু।

১৮৭০ সাল। তিনি ইংল্যান্ড যাত্রা করলেন। যাওয়ার আগে অন্তরঙ্গ শিবনাথ শাস্ত্রীকে সুন্দর একটি কথা বললেন—‘সাগরপারে যাচ্ছি, কি হয় কে জানে? একটা কথা মনে রেখ ধর্মজগতের সমস্ত মহাপুরুষকে আমি মনে করি চশমা। চশমা চোখ দুটোকে ঢেকে রাখে ঠিকই। কিন্তু দৃষ্টির উজ্জ্বলতা বাড়ায়। মহাপুরুষগণ ঈশ্বর ও মানবের মধ্যে দাঁড়িয়ে ঈশ্বর দর্শনের ব্যাঘাত করেন না। সহায়তাই করেন। মহাপুরুষরা হলেন দ্বারবান। দ্বারবান যেমন আগন্তুক ব্যক্তিকে প্রভুর সমীপে হাজির করে দেয়, তারপর তার আর কোনও কাজ থাকে না। সেইরকম মহাপুরুষগণ ঈশ্বরচরণে মানবকে উপনীত করে দেন। নিজেরা তার মধ্যে থাকেন না।’ দক্ষিণেশ্বরে গিরিশচন্দ্র ঘোষের প্রশ্নের উত্তরে শ্রীরামকৃষ্ণ মানবজীবনে গুরুর ভূমিকা সম্পর্কে ঠিক এই রকমই কথা বলেছিলেন। কেশববাবুর এই কথা শুনে শিবনাথবাবু যে উত্তর দিয়েছিলেন, সেটিও অসাধারণ। ‘মহাপুরুষেরা চশমা, তা ঠিক। কিন্তু কাকেও যদি বার বার বলা যায়—দেখ, দেখ ওই তোমার চোখে চশমা, ওই তোমার চোখে চশমা। তাহলে দ্রষ্টব্য পদার্থ থেকে তাঁর দৃষ্টিকে তুলে চশমার ওপরেই ফেলে দেওয়া হয়। মহাপুরুষরা ঈশ্বর দর্শনে সহায় হলেও ‘ওই মহাপুরুষ, ওই মহাপুরুষ’ করে যদি তাঁদের প্রতি দৃষ্টিকে বেশি আকর্ষণ করা হয় তাহলে ঈশ্বরকে পেছনেই ফেলে দেওয়া হয়।’ কেশবচন্দ্র দীর্ঘ জলপথ পাড়ি দিয়ে ইংল্যান্ডে চলে গেলেন। শিবনাথ শাস্ত্রী কেশবের বিচ্ছেদে খুবই কাতর। সেই সময় তিনি কমলকুটিরেই অবস্থান করছেন। তিনি একটি কবিতা লিখে ফেললেন। কবিতাটি যেন কেশববাবুর পত্নীর উক্তি। শিবনাথবাবু

স্বীকার করেছিলেন, কেশবচন্দ্রের কাছেই আমি ঈশ্বরের কাজ করতে শিখেছি। তাঁর জীবন থেকেই আমি পেয়েছি ঈশ্বরের প্রতি বিশ্বাস ও নির্ভরতা—এটি একটি মস্ত বড় স্বীকারোক্তি।

কেশবচন্দ্র ইংল্যান্ডে সাত মাস ছিলেন। রামমোহন রায়ের পর কেশবচন্দ্র সেন। ঘরানা এক। রাগবিন্যাস অন্যরকম। রাজা 'এক'-এ ছিলেন। কেশবচন্দ্র বহুতে ব্যতিব্যস্ত। ইংল্যান্ডে সমাদরের অভাব হল না। নানা জায়গায় বড় বড় বক্তৃতা করে ব্রহ্ম ও ব্রাহ্মধর্মের কথা যেমন বললেন, যিশুর কথাও বললেন। মহারানী ভিক্টোরিয়া থেকে শুরু করে সাধারণ ধর্মাচার্যরাও তাঁকে অভূতপূর্ব শ্রদ্ধা জানালেন। পরাধীন দেশের এক মানুষকে সে দেশের শিক্ষিত সমাজ যেভাবে গ্রহণ করলেন তা বিস্ময়কর। কেশবচন্দ্র নতুন উৎসাহ নিয়ে, নতুন আলো নিয়ে দেশে ফিরেই প্রবল উদ্যমে লেগে গেলেন সমাজসংস্কারের কাজে।

স্থাপন করলেন 'ভারত সংস্কার সভা'। কার্যতালিকায় রইল—সুলভ সাহিত্য প্রকাশ ও প্রচার, নৈশ বিদ্যালয় স্থাপন, স্ত্রী শিক্ষা ও শিক্ষাবিস্তার, সুরা পান নিবারণ ইত্যাদি। এরপরে তিনি যে কাজটি শুরু করলেন সেইটিই তাঁর তৃতীয় যুদ্ধ। ১৮৭১ সালে ব্রাহ্ম বিবাহ বিধিবদ্ধ করার জন্যে শুরু করলেন প্রবল আন্দোলন। এই বিবাহবিধিটিকে রাজবিধি করে তুলতে চাইলেন। আদি সমাজ এর বিরোধিতা করেছিলেন। আন্দোলনের পরিণতি এই হল—১৮৭২ সালে তিন আইন নাম দিয়ে একটি সিভিল বিবাহবিধি প্রচারিত হল। কেশবচন্দ্রের জয় ঘোষিত হল।

তিন আইন—এই আইনে বর ও কন্যার বিবাহের বয়স নির্ধারণ করে দিয়েছিলেন স্বয়ং কেশবচন্দ্র। ছেলের বয়স হবে একুশ আর মেয়ের বয়স ষোলো। ইতিমধ্যে একটি লোভনীয় প্রস্তাব কেশবচন্দ্রের কাছে এল। কুচবিহারের ম্যাজিস্ট্রেট যাদবচন্দ্র চক্রবর্তী প্রস্তাবটি নিয়ে এলেন। সেটি হল, কুচবিহারের নাবালক রাজার বিবাহ। কাশীর সুপ্রসিদ্ধ হোমিওপ্যাথিক ডাক্তার লোকনাথ মৈত্র মহাশয় তখন কলকাতায়। তিনি শিবনাথ শাস্ত্রীর বন্ধু। তাঁর মুখে শিবনাথ শাস্ত্রী শুনলেন কেশববাবু কন্যার বিবাহের বয়স হওয়ার পূর্বেই তাঁর বিবাহ দিতে রাজি হয়েছেন। কুচবিহার পক্ষের ঘটকরা কমলকুটিরে এসে কেশববাবুর বড় মেয়েকে দেখে গেছেন। লোকনাথবাবুর

বাড়িতেই যাদবচন্দ্রের সঙ্গে শিবনাথবাবুর দেখা হত। তার মুখে শুনলেন—যা শুনলেন শিবনাথবাবুর কথায়, কি কি নিয়মে বিবাহ হইবে, সেই সকল কথাবার্তা চলিতেছে। সে সকল কথাবার্তার প্রকৃতি কি, তাহা তিনি আমাকে বলেন নাই। ক্রমে শুনিলাম যে, পদ্ধতি স্থির করিবার জন্য কুচবিহার হইতে রাজ-পুরোহিত আসিতেছেন। ক্রমে কি কি বিষয় স্থির হইল, তাহাও প্রকারান্তরে আমাদের কর্ণগোচর হইল। জানিলাম যে, কন্যার ও বরের বয়ঃপ্রাপ্তির পূর্বেই বিবাহ হইবে, তবে বয়ঃপ্রাপ্তি পর্যন্ত তাঁহারা স্বতন্ত্র থাকিবেন, কেশববাবু জাতিচ্যুত বলিয়া কন্যা সম্প্রদান করিতে পারিবেন না, তাঁহার কনিষ্ঠ ভ্রাতা কন্যা-সম্প্রদান করিবেন। রাজ-পরিবারের পদ্ধতি অনুসারে বিবাহ হইবে, রাজ-পুরোহিত বিবাহ দিবেন, ইত্যাদি।'

ব্রাহ্ম সমাজের ভেতরে পাঁচজনের একটি ঘনিষ্ঠ দল তৈরি হয়েছিল। এটিকে বলা হত 'পঞ্চপ্রদীপ'। পাঁচজনের নাম, শিবনাথ শাস্ত্রী, কেদারনাথ রায়, নগেন্দ্রনাথ চট্টোপাধ্যায়, কালীনাথ দত্ত, উমেশচন্দ্র দত্ত। এঁরা আলাদাভাবে এক জায়গায় বসতেন। নিজেদের মধ্যে ধর্মালোচনা করতেন আবার মহর্ষি দেবেন্দ্রনাথ ঠাকুরের কাছেও যেতেন। দেবেন্দ্রনাথই এই নামটি রেখেছিলেন— 'পঞ্চপ্রদীপে যেমন দেবতার আরতি করে তেমনই তোমরা পঞ্চপ্রদীপে ঈশ্বরের আরতি করছ।' এই দলেরই উৎস থেকে কয়েকটি প্রধান ব্রত বেরিয়ে এসেছিল। যেমন—১) একমাত্র ঈশ্বরের উপাসনা করবেন, ২) সরকারি চাকরি করবেন না, ৩) পুরুষের একুশ বছর ও কন্যার যোল বছর বয়স পূর্ণ হওয়ার পূর্বে বিবাহ দেবেন না। এই দলকে ঘিরে যে দল তৈরি হল তাঁরা কেশবচন্দ্রের সঙ্গে দেখা করে জানতে চাইলেন—ব্যাপারটা কি? কারণ প্রতাপচন্দ্র মজুমদার মহাশয় বিশেষ খবর রাখতেন না। তিনি বললেন, কেশববাবুর কাছেই যাও। কেশববাবু কিন্তু কোনও সংবাদই দিতে চাইলেন না। শুধু বললেন, 'এখন কোনও সংবাদ দিতে পারি না।' প্রতিবাদী দল উত্তেজিত হয়ে ফিরে এলেন। তাঁরা একথাও জানিয়ে এলেন, আপনার উচিত আমাদের সব কথা বলা। কারণ লোকে তো আপনার কাছে আসে না, আমাদেরই পথে-ঘাটে ধরে আর ঝগড়া করে। সুতরাং তাঁদের শান্ত করার জন্যে

আমাদের কাছে সব খবর থাকা উচিত। একথাও তাঁরা বলে এলেন, 'খাস্তগির মহাশয়ের কন্যার বিবাহে ব্রাহ্ম সমাজের আদর্শ রক্ষা হয়নি বলে তাঁকে চেপে ধরেছিলেন—মনে আছে নিশ্চয়। তাঁর ঘাড়ের মাস ছিঁড়ে খেয়েছিলেন। এখন আপনার কন্যার বিবাহে ব্রাহ্মদের অবলম্বিত কোনও নিয়মের ব্যতিক্রম হলে ব্রাহ্মরা ছাড়বে কি?' তাঁরা যেই এই কথা বললেন, কেশববাবু বিরক্ত হয়ে চেয়ার ছেড়ে টেবিলের উপর উঠে বসলেন। কাঁধে একখানা গামছা ছিল, মাথায় বেঁধে বলতে লাগলেন, 'আমারও ঘাড়ের মাস ছিঁড়ে খাবে, তার আর কি?' শিবনাথবাবু বলছেন, আগে কখনও তাঁকে এত উত্তেজিত দেখিনি। দেখে মনে হল, আর তাঁকে বিরক্ত করা উচিত নয়, আমরা উঠে দাঁড়ালাম। বললাম, 'আপনি যখন বিরক্ত হচ্ছেন তখন একথা থাক।'

সকলে ফিরে এসে এক জায়গায় মিলিত হলেন। সমাজের মধ্যে যেসব বিভাগীয় দল ছিল, যেমন সমদর্শী দল, স্ত্রী স্বাধীনতার দল, নিয়মতন্ত্রের দল—সব দল এক হল। এমনকী বৃদ্ধ শিবচন্দ্র দেবও এই দলে যুক্ত হলেন। সকলেরই সিদ্ধান্ত ব্রাহ্মসমাজের সামনে উপস্থিত হয়েছে এক মহাবিপদ। বিখ্যাত আনন্দমোহনবাবু তখন কলকাতা হাইকোর্টে। তাঁর চেম্বারে শিবনাথবাবু বসে আছেন তাঁর চেয়ারে। আর আনন্দবাবু তাঁর কোটের দু'পকেটে দু'হাত ঢুকিয়ে গভীর চিন্তায় ঘরের মধ্যে ঘন্টার পর ঘন্টা পাদচারণা করছেন। আর মাঝে মাঝে কেবল বলছেন, 'শিবনাথবাবু কি হবে? কি করা যায়?'

এই বিবাহের সম্বন্ধের পিছনে ব্রিটিশ পলিটিক্স। মহারানী গায়ত্রী দেবী তাঁর আত্মকথায় লিখেছেন, অষ্টাদশ শতকের শেষের দিকে একটি ঘটনায় কুচবিহারের অবস্থা সম্পূর্ণ পালটে গেল। ভুটানীরা রাজ্যটিকে গ্রাস করল এবং তৎকালীন মহারাজাকে বন্দী করে রাখল। মহারাজার মন্ত্রীরা তৎক্ষণাৎ বাংলার গভর্নর ওয়ারেন হেস্টিংসের কাছে সাহায্য চাইলেন। তিনি সাহায্য করলেন বটে কিন্তু অনেক শর্ত চাপিয়ে দিলেন। তখনও কোম্পানির শাসন চলছে। ব্রিটিশ ক্রাউন তখনও ক্ষমতায় আসেনি। গোটা একটা শতাব্দী অদ্ভুত কায়দায় পড়ে রইল—একদিকে বাণিজ্য অন্যদিকে সৈন্যবল। ইস্ট ইন্ডিয়া কোম্পানির যেন দুটো হাত। একহাতে মানদণ্ড,

আর এক হাতে রাজদণ্ড। কুচবিহারের মহারাজার সন্ধি হল এই বিদেশি কোম্পানির সঙ্গে। তারিখটা ছিল ৫ এপ্রিল, ১৭৭৩। চুক্তি অনুযায়ী রাজস্বের অর্ধেকের বেশি দিতে হল এই বিদেশি কোম্পানিকে। পরে টাকাটা নির্দিষ্ট হল—বছরে সাতষট্টি হাজার সাতশ টাকা। এরপরে হেস্টিংস তিব্বতের দলাইলামার সাহায্যে ভুটানের সঙ্গে সন্ধি করার পর কুচবিহারের মহারাজা ছাড়া পেলেন। কুচবিহারের সঙ্গে ইংরেজ সরকারের যোগাযোগ বেশ দৃঢ় হল। রাজ্যটা এমন জায়গায়—ভুটান, সিকিম আর আসাম, তিনটি রাজ্য তিনদিকে, প্রতিটি রাজ্যেরই ধান্দা কুচবিহারকে কী করে কব্জায় আনা যায়। এর মাঝখানে নেপাল ও তিব্বতেরও ভূমিকা ছিল। ইংরেজ দেখলে কুচবিহারে যদি একটা পা রাখার জায়গা পাওয়া যায় তাহলে এই কটা রাজ্যকে দমনে আনা সহজ হবে। সেই কারণে ১৭৮৮ সালে তাঁরা কুচবিহারে এক ব্রিটিশ রেসিডেন্সকে পাকাপাকিভাবে বসিয়ে দিলেন। এইভাবেই কুচবিহারে ইংরেজিআনা ঢুকে পড়ল। এই প্রভাব স্থায়ী হল প্রায় একশ বছর। মহারানী লিখছেন, আমার পিতামহ যখন সিংহাসনে বসলেন তখন তাঁর বয়েস মাত্র দশ মাস। স্বাভাবিকভাবেই একজন ইংরেজ কমিশনার রাজ্যের হাল ধরলেন। এই কমিশনারই রাজার শিক্ষাদীক্ষার ব্যবস্থা করলেন। সেইটাই ছিল নিয়ম পিতামহ অত্যন্ত ভালো ছাত্র ছিলেন। ষোলো বছর বয়সে তাঁর অভিভাবকরা ঠিক করলেন ইংল্যান্ডে পাঠিয়ে তাঁকে আরও উচ্চশিক্ষায় শিক্ষিত করবেন। ইংরেজ শাসকদেরও সেই রকমই ইচ্ছা। কিন্তু ষোলো বছরের রাজার মা ও ঠাকুমা, ঘোরতর আপত্তি জানালেন। ছেলে বিদেশে যাওয়া মানেই সায়েব হয়ে ফিরে আসা। সেকালের কু-সংস্কার কালাপানি পেরোলেই জাত চলে যাবে। হিন্দু সমাজ তাঁকে একঘরে করবে। অনেক বোঝাবার পর প্রাসাদের মহিলারা রাজি হলেন একটি শর্তে—বিয়ে করে জাহাজে চাপতে হবে। তাঁদের ধারণা, বিবাহিত যুবক ইওরোপের জীবন ও সেখানকার সুন্দরীদের আকর্ষণে ফেঁসে যাবে না। ইংরেজ সরকার ইচ্ছা না থাকলেও 'প্যালেস লেডিদের' শর্ত মেনে পাত্রী খোঁজায় ব্যস্ত হলেন। পাত্রী কেমন হবে? 'কালচার্ড'। যে স্ত্রী মহারাজাকে সাহায্য করবেন, বোঝা না হয়ে প্রকৃত জীবন সঙ্গিনী হয়ে উঠবেন। মেয়েটিকে অবশ্যই শিক্ষিতা হতে হবে।

উদার পরিবারে জন্মগ্রহণ করতে হবে। গোঁড়া হিন্দু হলে চলবে না। সুতরাং রাজকুমারী না হলেও চলবে। তবে সুন্দরী এবং চার্মিং হতে হবে। এই অনুসন্ধানেই কেশব-কন্যা সুনীতিদেবী নির্বাচিত হলেন। গায়ত্রী দেবী লিখছেন, আমার গ্র্যান্ডমাদার সুনীতিদেবী was a gentle and affectionate presence all through my childhood. রাজ্যের বাইরে তিনি অত্যন্ত নিষ্ঠার সঙ্গে নানারকম সমাজসেবামূলক কাজে নিজেকে জড়িত রাখতেন। নারী মুক্তির জন্যে তিনি সদাসর্বদা চেষ্টা করতেন। কিন্তু জানি না কেন, পর্দা প্রথার বিরুদ্ধে তিনি কোনও আন্দোলন করেননি। রাজ্যের বাইরে স্বাধীনভাবে তিনি বিচরণ করতেন, বিভিন্ন জায়গায় যেতেন। কিন্তু কুচবিহারে ফিরে এলে তিনি ঢুকে যেতেন জেনানা মহলে। কুচবিহার প্রাসাদের মেয়েরা প্রাসাদটিকে কখনও সামনাসামনি দেখেননি। সামনেটা কেমন তাঁরা লোকের মুখেই শুনতেন। নিজেরা চোখে দেখেননি। মহারানী লিখছেন, একটা যুগ অতিবাহিত হল। একদিন আমার মা খোলা গাড়িতে চেপে কুচবিহার প্রাসাদে এলেন। সেই দিনই পর্দাপ্রথা হঠাৎ ভেঙে পড়ল। শুধুমাত্র বিলিয়ার্ড রুমে সকলের প্রবেশাধিকার ছিল না।

এই বিবাহ অবশ্যই এক বিরাট ঘটনা। ইংরেজ সরকার কুচবিহারের মহারাজার মাধ্যমে এক বঙ্গকন্যাকে আন্তর্জাতিক ক্ষেত্রে নিয়ে আসতে চলেছেন। কেশবচন্দ্রের ধর্মবিশ্বাস, উদারতা, আন্তর্জাতিকতা তাঁকে রাজার শ্বশুর করতে চলেছে। তাঁর কন্যাকে কলকাতার বাঙালি পরিবারের কূপ থেকে তুলে প্রসাদের বিরাট সংসারে, প্রাচুর্যে, রাজকীয়তায় মুক্তি দিতে চলেছে। এ এক ঐতিহাসিক ঘটনা। এখানে কয়েকটি বঙ্গ পুরুষের প্রতিবাদের অর্থ হয় না। এক ধরনের আবেগ। কেশবচন্দ্রের সঙ্গে কথা বলে যখন কিছু হল না তখন প্রতিবাদীগোষ্ঠী ইন্ডিয়ান অ্যাসোসিয়েশন হলে (৯৩, কলেজ স্ট্রিট) এক রাতে মিলিত হলেন। আলোচনার বিষয় কেশববাবুকে কিছু বলা উচিত কী না, যদি বলা হয়, কি বলা হবে, কে কে তাতে স্বাক্ষর করবেন। রাত দুটো বেজে গেল। ভোর রাতে স্থির হল প্রতিবাদপত্রে কয়েকজন স্বাক্ষর করবেন এবং সেটি কেবশবাবুর হাতে দেওয়া হবে। ঠিক এই সময় দুর্গামোহন দাস ও দ্বারকানাথ গাঙ্গুলি খুব সমীচীন একটি সম্ভাবনার কথা জানালেন। বললেন, প্রতিবাদপত্র পেয়ে

কেশববাবু যদি কিছু না করেন তাহলে আমাদের স্বতন্ত্র একটি সমাজ প্রতিষ্ঠা করতে হবে। তার জন্য তোমরা কি প্রস্তুত? আনন্দমোহনবাবু ও শিবনাথবাবু বললেন, স্বতন্ত্র সমাজ প্রতিষ্ঠা এখনও আমাদের চিন্তায় নেই, সে বিষয়ে কথা দিতে পারি না। এই মুহূর্তে যা করা কর্তব্য তাই আমরা করতে চলেছি। ফলাফল জানি না। দুর্গামোহনবাবু সঙ্গে সঙ্গে বললেন, 'ছেলেখেলার মধ্যে আমরা নেই, যাঁরা আমাদের সঙ্গে সমগ্র পথ যেতে প্রস্তুত নন, তাঁদের সঙ্গে স্বাক্ষর করব না।' এই বলে তিনি এবং দ্বারকাবাবু চলে গেলেন।

প্রতিবাদ পত্র লেখা হল। বিশিষ্ট ব্রাহ্মদের স্বাক্ষর নেওয়া হল। প্রথম স্বাক্ষরটি ভক্তিভাজন শিবচন্দ্র দেবমহাশয়ের। দুদিন পরে দুর্গামোহনবাবু ও দ্বারিকাবাবুও সই করলেন। ইতিমধ্যে ১৮৭৮ সালের ৯ ফেব্রুয়ারি ইন্ডিয়ান মিররে প্রকাশিত হল—কুচবিহার বিবাহ সুনিশ্চিত। সেই দিনেই ছাব্বিশজন বিশিষ্ট ব্রাহ্মের স্বাক্ষরিত প্রতিবাদপত্র কেশববাবুর হাতে পৌঁছাল। প্রতিবাদপত্রটি নিয়েছিলেন কেশববাবুর প্রচারক কান্তিচন্দ্র মিত্র। পরে জানা গিয়েছিল, কেশববাবু সেটি পড়েননি। প্রথমে পা দিয়ে দলেছিলেন তারপর ছেঁড়া কাগজের বাক্সে ফেলে দেন। প্রতিবাদকারীরা অত্যন্ত কষ্ট পেয়েছিলেন। কারণ ওই পত্রে শিবচন্দ্র দেবমহাশয়ের মতো বিশিষ্ট এক মানুষের স্বাক্ষর ছিল। এই শুরু হল কেশবচন্দ্রের জীবনে আর এক বিরাট সঙ্ঘাত।

কেশববাবু মেয়েকে নিয়ে কুচবিহারে বিবাহ দিতে গেলেন। সেখানে বিরোধী দলের যাঁরা ছিলেন তাঁরা কলকাতায় খবর পাঠাতে লাগলেন। শাস্ত্রীমশাই 'সারস পাখির উক্তি'—এই শিরোনামে সেই সব খবর প্রকাশ করতে শুরু করলেন। প্রথম সংবাদ—কেশববাবু কন্যা সম্প্রদান করতে পারলেন না। দ্বিতীয়, বিবাহে রাজ-পুরোহিত ব্রাহ্মণগণ পৌরোহিত্য করলেন। কেশববাবুর প্রতিনিধি গৌর গোবিন্দ রায় উপস্থিত ছিলেন মাত্র। তৃতীয়, বিবাহ ব্রহ্মোপাসনা হল না। চতুর্থ, বিবাহে অগ্নি জ্বেলে হোম হল, বর সেখানে থাকলেন। কন্যাকে উঠিয়ে নিয়ে যাওয়া হল। পঞ্চম, বিবাহস্থলে রাজকূলের প্রথানুসারে হরগৌরী নামক দুটি পদার্থ স্থাপন করা হল। প্রতাপ চন্দ্র মজুমদার ও অন্যান্যদের বহু প্রতিবাদ সত্ত্বেও তা সরিয়ে নিয়ে যাওয়া হল না।

কলকাতায় ফিরে এলেন কেশবচন্দ্র। ব্রাহ্ম দলে তুমুল আন্দোলন। ভারতবর্ষীয় ব্রাহ্মসমাজের তিনিই সম্পাদক, মিটিং ডাকার জন্যে শিবচন্দ্র দেব প্রমুখ বিশিষ্ট ব্রাহ্মগণের আবেদন পত্র তিনি অগ্রাহ্য করলেন। মিটিং ডাকার উপায় রইল না। আর একটি আবেদন গেল। যে আবেদনে তাঁকে আচার্য পদ থেকে অপসৃত করার জন্য উপাসকমণ্ডলীর মিটিং ডাকার অনুরোধ করা হল। যথারীতি অগ্রাহ্য করলেন। অবশেষে তিনি নিজেই একটা মিটিং করলেন। কাগজের বিজ্ঞাপন এই রকম—'Babu Keshub Chaunder Sen will propose that Babu Keshub Chaunder Sen be deosed. এ এক অদ্ভুত বিজ্ঞাপন।

সভায় তাণ্ডব। অনেক কসরতের পর কেশববাবু দুর্গামোহনবাবুকে সভাপতি করতে রাজি হলেন। ভোট হল। দুর্গামোহনবাবু সভাপতি হলেন। কেশববাবু নিজের পদচ্যুতি সম্বন্ধে প্রস্তাব উপস্থিত করতে চাইলেন। সভাপতি দুর্গামোহনবাবু প্রস্তাব উত্থাপনের ভার শিবনাথবাবুকে দিলেন। তিনি প্রস্তাব করার জন্য উঠে দাঁড়ানো মাত্রই কেশবচন্দ্র তাঁর

দলবল নিয়ে সভা ত্যাগ করে চলে গেলেন। আবার চিৎকার, আবার গোলমাল। সেই সন্ধ্যায় কলকাতা এক অদ্ভুত ঘটনার সাক্ষী হয়ে রইল।

কেশববাবু এদিকে ব্রাহ্মমন্দিরের দরজায় তালাচাবি দিয়ে দিয়েছেন, কয়েকজন প্রহরীও রেখেছেন। দ্বারকানাথ গাঙ্গুলি এই সংবাদ পেয়ে শিবনাথবাবুকে বললেন, 'চলুন আমরাও ব্রাহ্মমন্দিরের দ্বারে তালাচাবি দিয়ে আসি। মন্দির তো আমাদেরও। কারণ সকলে মিলে টাকা দিয়েছি। কেশববাবু একলা কেন বলপূর্বক অধিকার করবেন।' অতীতের অপূর্ব ঘনিষ্ঠতার কথা ভেবে শিবনাথবাবু গেলেন না। দ্বারকানাথ অন্য দুজনকে নিয়ে তালার ওপর তালা ঝোলাতে গেলেন।

'সেই তালা, চাবি দেওয়ার ব্যাপার এক কৌতুককর ঘটনা। দ্বারকানাথ গাঙ্গুলী ও দেবীপ্রসন্ন রায়চৌধুরী তালা, চাবি লইয়া গেটে উপস্থিত হইয়া দেখেন, তাহাতে তালা, চাবি লাগান আছে এবং ভিতরে কেশববাবুর কয়েকজন অনুগত শিষ্য রহিয়াছেন। ইহারা গিয়া গেটের নিকট দাঁড়াইবামাত্র তাঁহারা ছুটিয়া অপরদিকে আসিলেন। তর্ক-বিতর্ক ও বাগবিতণ্ডা আরম্ভ হইল। ইহারা বলিলেন, "মন্দির তো' কেবল আপনাদের নয়, আমাদেরও। আপনারা কেন বলপূর্বক অধিকার করিবেন? আপনারা ভিতরে চাবি দিয়াছেন, আমরা বাহিরে দিব।" এই বলিয়া দ্বারিকবাবু ও দেবীপ্রসন্নবাবু চাবি দিতে প্রবৃত্ত হইলেন। কেশববাবুর বন্ধুগণ ভিতর হইতে বাধা দিবার চেষ্টা করিতে লাগিলেন। হাত ঠেলাঠেলি, ধরাধরি, হুড়াহুড়ি চলিল। এই টানাটানির অবস্থাতে ভিতরকার কেশবশিষ্যগণের একজনের হাতে বোধ হয় গেটের লোহার রেলের আঘাত লাগিয়া থাকিবে। বাহিরে কথা উঠিল, প্রতিবাদীরা হাত কামড়াইয়া দিয়া গিয়াছে। ইহা লইয়া হাসাহাসি ও সংবাদপত্রে কিছুদিন ঠাট্টা, তামাসা চলিয়াছিল।

এই সংবাদ সহরে ছড়াইয়া পড়াতে সেই দিন বৈকালে মন্দিরের দ্বারে সহরের লোক জড় হইল। আমাদের পক্ষীয় বন্ধুরা আবার সন্ধ্যার সময় সাজিয়া-গুজিয়া আপনাদের নিযুক্ত আচার্য রামকুমার বিদ্যারত্নকে সঙ্গে লইয়া বেদি অধিকার করিবার জন্য গেলেন। আমাকে সঙ্গে যাইবার জন্য বিশেষ অনুরোধ করাতেও আমি গেলাম না। ব্রহ্মোপাসনার অধিকার স্থাপন করিতে যাওয়া আমার ভালো লাগিল না। বন্ধুরা গিয়া দেখেন, সাধু অঘোরনাথ গুপ্ত অপরাহ্ণ ৪টা হইতে বেদী অধিকার করিয়া বসিয়া

শাস্ত্রপাঠ করিতেছেন। তাঁহারা স্থিরভাবে বসিয়া অপেক্ষা করিতে লাগিলেন। ক্রমে উপাসনার ঘণ্টা বাজিল, অঘোরবাবু নামিতেছেন, ওদিকে বিদ্যারত্নভায়া অগ্রসর হইবার উদ্যোগ করিতেছেন, এমন সময় কে পশ্চাৎ হইতে তাঁহার কাপড় ধরিয়া টানিয়া রাখিল। ওদিকে কেশববাবু পুলিস-বেষ্টিত হইয়া আসিয়া বেদী অধিকার করিলেন। অমনি প্রতিবাদীর দল, প্রায় ৭০/৮০ জন, মন্দির ত্যাগ করিয়া আসিলেন। আমি তখন মন্দিরের পার্শ্বে আমার পরিচিত এক বন্ধু ডাক্তার উপেন্দ্রনাথ বসুর বাড়িতে কি হয় জানিবার জন্য অপেক্ষা করিতেছিলাম, লজ্জা ও সঙ্কোচবশত প্রতিবাদকারীদের সঙ্গে মন্দিরের মধ্যে যাই নাই। প্রতিবাদীর দল মন্দির হইতে তাড়িত হইয়া ডাক্তার বসুর বাড়িতে আসিলেন। তাঁহাদিগকে লইয়া আমি ব্রহ্মোপাসনা করিলাম।

এই আমাদের স্বতন্ত্র উপাসনা আরম্ভ হইল। উপাসনান্তে প্রতিবাদকারী দল আবার মন্দিরের অধিকার স্থাপন করিতে গেলেন। আমি সে সঙ্গে গেলাম না। শুনিলাম, কেশববাবুর উপাসনা তখনও শেষ হয় নাই। তাঁহার উপাসনা শেষ হইবামাত্র প্রতিবাদকারীদল নীচে বসিয়া সঙ্গীত আরম্ভ করিলেন। যেই তাঁহাদের সঙ্গীত আরম্ভ হওয়া, অমনি উমানাথ গুপ্ত প্রভৃতি কেশববাবুর কয়েকজন অনুগত শিষ্য খোল-করতালের ধ্বনি করিতে করিতে নীচে আসিলেন। তাঁহাদের "দয়াল বল জুড়াক হিয়া রে" এই গান ও খোল, করতালের ধ্বনি অপরপক্ষের সঙ্গীত চাপা দিয়া ফেলিল। পুলিস সুপারিনটেনডেন্ট কালীনাথ বসু সদলে আসিয়া প্রতিবাদকারী দলের মানুষদিগকে বাছিয়া বাছিয়া মন্দির হইতে বাহির করিয়া দিতে লাগিলেন। এই ঘটনা এমনি শোচনীয় হইয়াছিল যে, আমাদের শ্রদ্ধেয় যদুনাথ চক্রবর্তী মহাশয় এক কোণে চক্ষু মুদিয়া উপাসনার ভাবে ছিলেন; প্রতাপচন্দ্র মজুমদার মহাশয় তাঁহাকে দেখাইয়া পুলিসকে বলিলেন, "এই একটা বদমায়েস"। তাঁহাকে ধরিয়া বাহির করা হইল।' (শিবনাথ শাস্ত্রীর আত্মচরিত)

জল আরও খানিক ঘোলা হল। ভারতবর্ষীয় ব্রাহ্মসমাজ ভেঙে গেল ১৫ মে, ১৮৭৮। স্থাপিত হল সাধারণ ব্রাহ্মসমাজ। সমগ্র ব্রাহ্মসমাজ তখন টগবগ করে ফুটছে। নানা লেখনী হাতে নিঃসৃত হচ্ছে বিষোদ্গার এবং প্রশ্ন—'এই কি ব্রাহ্ম বিবাহ'? আনন্দচন্দ্র মিত্র একটি নাটিকাও লিখে

ফেললেন—'কপালে ছিল বিয়ে, কাঁদলে হবে কি'। শিবনাথ শাস্ত্রীমশাই আচার্য্য কেশবচন্দ্রের পত্নীকে ভীষণ শ্রদ্ধা করতেন। নাটিকাটিতে তাঁকেও আক্রমণ করা হয়েছে দেখে শাস্ত্রীমশাই নাটিকাটির প্রচার বন্ধ করে দিলেন। ওই নাটিকাতে আবার এমন একটি প্যাঁচ ছিল যাতে মনে হতে পারে শিবনাথ শাস্ত্রী আচার্যপত্নীকে লঘুভাষা প্রয়োগ করেছেন। এমনও মনে হতে পারে নাটিকাটি শাস্ত্রীমশাইয়ের লেখা। যেমন বলে না, সবকিছুরই একটা 'এপিটাফ' থাকে। সেই রকম এই 'ঊনবিংশ শতাব্দীর ধর্মযুদ্ধেরও একটি সমাধিলিপি শিবনাথবাবুই লিখে গেছেন—'এরূপ দলাদলির মাথায় ধর্ম টেকে না। আমরা সেই যে ধর্ম হারাইয়াছি, তাহার সাজা এতদিন ভোগ করিতেছি ; আর কতদিন ভোগ করিব, ভগবান জানেন, ব্রাহ্মসমাজ এতৎদ্বারা লোকসমাজে যে হীন হইয়াছে, তাহা আজিও সামলাইয়া উঠিতে পারিতেছে না। ব্রাহ্মসমাজের অধঃপতন আমাদের পাপের শাস্তি।'

চিৎপুর, জোড়াসাঁকোর ঠাকুরবাড়ি, সেই ঘর—যে ঘর থেকে কেশবচন্দ্র সেনের ধর্মরথ প্রকাশিত হয়েছিল। সেই ঘরে বসে আছেন মহর্ষি দেবেন্দ্রনাথ ও ঋষি রাজনারায়ণ। দুটি প্রসন্ন মূর্তি। শিবনাথ প্রবেশ করলেন। মহর্ষি শিবনাথকে খুব ভালোবাসেন। আনন্দিত হয়ে বললেন, আরে, এস, এস। মহর্ষি এও বললেন, এসেছ যখন রাতের আহারটি করে যেতে হবে বাপু। শাস্ত্রীমশাই এসেছেন বিশেষ একটি উদ্দেশ্য নিয়ে। কেশবচন্দ্রের দল থেকে বেরিয়ে এসে বিরোধী গোষ্ঠী সাধারণ ব্রাহ্মসমাজ স্থাপন করেছেন। মহর্ষির কাছে কিছু অর্থ সাহায্যের জান্য আবেদন করা ছিল। তার ফল কি হল? মহর্ষি বললেন, 'তোমাদের দরখাস্ত নথির সামিল আছে।'

শিবনাথ : (হাসতে হাসতে), জিজ্ঞেস করলেন—রায় বের হবে কবে?

মহর্ষি : কিছুদিন পরে হবে।

শিবনাথ উঠে দাঁড়িয়েছেন, তিনি চলে যাবেন। দেবেন্দ্রনাথ আসন ছেড়ে উঠে শিবনাথের হাতটি স্নেহভরে ধরে বললেন—কিছু না খেয়ে যে যাওয়া যাবে না। দক্ষিণের বারান্দার কোণের একটি ঘর। টেবিলের ওপর নানা রকমের মিষ্টিপূর্ণ পাত্র শাস্ত্রীমশাইয়ের জন্য অপেক্ষা করছে। মহর্ষি তাঁকে চেয়ারে বসালেন। নিজে বসলেন পাশের একটি চেয়ারে। নিজের হাতে এক একটি মিষ্টি তুলে শিবনাথের প্লেটে পরিবেশন করতে লাগলেন। মহর্ষির এইটিই নিয়ম—যাঁদের খুব ভালোবাসেন তাঁদের

নিজের হাতে খাবার পরিবেশন করেন। খেতে খেতে শিবনাথ বলতে লাগলেন, 'খুব হয়েছে, আর না।' মহর্ষির মুখে হাসি। আরও একটি মিষ্টি তাঁর পাতে দিয়ে বললেন—তা বললে চলবে না বাপু। এসব খাবার বাড়ির মেয়েরা নিজের হাতে করেছেন, না খেলে নারীর সম্মান করা হবে না; তোমরা স্ত্রী স্বাধীনতার দল। 'এই কথা বলে তাঁর সেই বিখ্যাত অট্টহাসি। শিবনাথ বলছেন, 'এমন সুন্দর, এমন পবিত্র, এমন অকপট হাসি খুব কম মানুষেই দেখেছি। রাজনারায়ণ বসু মহাশয় ও মহর্ষির জ্যেষ্ঠ পুত্র দ্বিজেন্দ্রনাথ মহাশয় আমাদের মধ্যে অকপট অট্টহাসির জন্যে প্রসিদ্ধ ছিলেন ; কিন্তু মহর্ষির হাসি বড় কম চিত্তাকর্ষক ছিল না। তবে তিনি সকলের কাছে হাসতেন না।

আবার মহর্ষির বৈঠকখানায় দুজনে ফিরে এলেন। রাজনারায়ণবাবু তখনও বসে আছেন। মহির্ষ তাঁর ক্যাশবাক্সে তলব করলেন। চেকবই বেরল। তিনি লিখছেন। শাস্ত্রীমশাই তাকিয়ে আছেন দেখে হাসতে হাসতে বললেন, 'তোমাদের দরখাস্তের রায় লিখছি।' চেকটি শাস্ত্রীমশাইয়ের হাতে দিয়ে ইংরেজিতে বললেন, This is my unconditional gift'. চেকটি হাতে নিয়ে শিবনাথ অবাক। সাতহাজার টাকার একটি চেক। শিবনাথ এইরকম শুনেছিলেন, মহর্ষি দু'হাজারের বেশি দেবেন না।

মহর্ষি : কেমন সন্তুষ্ট তো?

শিবনাথ : একটা বড় খারাপ হল। আর একটু বসব মনে করেছিলাম, কিন্তু ওটা পেয়ে আর বসতে ইচ্ছা করছে না। দৌড়ে গিয়ে দলে খবর দিতে ইচ্ছা করছে।

মহর্ষি : (হেসে) তবে যাও।

শিবনাথ চলে গেলেন। কিন্তু আনন্দের আবেগে চেকখানি পকেটে না পুরে মহর্ষির ঘরেই ফেলে গেলেন। কিছুদূরে গিয়েই অবার ফিরে এলেন। বৈঠকখানার দুই প্রবীণের আবার অট্টহাসি।

শিবনাথবাবু প্রায় ছুটতে ছুটতে মঠ্স্ লেনে আনন্দমোহন বসুর বাড়িতে এলেন। চেকটি তাঁর সামনে রাখামাত্রই তিনি হাততালি দিয়ে চেয়ার ছেড়ে উঠে দাঁড়িয়ে শিবনাথবাবুকে সজোরে বুকে চেপে ধরলেন। ঘরে যাঁরা বসেছিলেন তাঁরাও আনন্দে উৎফুল্ল হয়ে শব্দ করতে লাগলেন। প্রচুর মিষ্টি এল। সকলে মিষ্টিমুখ করলেন।

সাধারণ ব্রাহ্মসমাজের মন্দির নির্মাণের ভার পড়ল গুরুচরণ মহলানবীশ

ও শিবনাথ শাস্ত্রীর ওপর। শিবনাথবাবু বিহার, উত্তর-পশ্চিম ভারত, পাঞ্জাব, মধ্যভারতবর্ষ ভ্রমণ করে হাজার হাজার টাকা তুলে আনলেন। মহর্ষি দেবেন্দ্রনাথ সাধারণ ব্রাহ্মসমাজ নামটি শুনে বলেছিলেন, 'বেশ হয়েছে। আমাদের সমাজ আদি সমাজ, আমরা কালে আছি। কেশববাবুর সমাজ ভারতবর্ষীয় সমাজ তাঁরা দেশে আছেন। তোমরা দেশ, কালের অতীত হয়ে যাও।'

১৮৭৯ খ্রিস্টাব্দের মাঘোৎসবের সময় (২৩ জানুয়ারি) কর্নওয়ালিস স্ট্রিটের জমিতে সাধারণ ব্রাহ্মসমাজের ভিত্তি প্রস্তর স্থাপিত হল। স্থাপন করলেন প্রবীণ সদস্য শিবচন্দ্র দেব। মন্দিরটি তৈরি হতে সময় লেগেছিল দুবছর। গোয়ালিয়রের সিন্ধিয়া, পাঞ্জাবের সর্দার দয়াল সিং মন্দির ফান্ডে অর্থদান করেন। উদ্বোধন হয় ১৮৮১ সালের ২২ জানুয়ারি। সেদিন ছিল মাঘোৎসব।

ব্রহ্মানন্দ কেশবচন্দ্র সেন, যিনি অনন্তে খেলা করে বেড়ান তিনি কি জানেন, কালের দপ্তরখানায় ঘণ্টা বেজে গেছে। হয়ত জানেন। কারণ তাঁর সিদ্ধাই ছিল, কোনও মানুষকে স্মরণ করলে তিনি চলে আসতেন। অসীম তাঁর সহ্যশক্তি। দক্ষিণেশ্বরের গঙ্গায় একটি জাহাজ এসে দাঁড়িয়েছে। জাহাজের ভেতরে আলো জ্বলছে। মাঝে মাঝে মৃদঙ্গ ও খঞ্জনির আওয়াজ উঠছে। ডেকের রেলিংধরে দাঁড়িয়ে আছেন অনেক ভদ্রলোক। দক্ষিণেশ্বরের চাঁদনির ঘাট থেকে একটি নৌকা এগিয়ে যাচ্ছে সেই জাহাজটির দিকে। নৌকায় দুজন কি তিনজন আরোহী। এঁদের মধ্যে একজনের দিকে শতাব্দীর প্রখর দৃষ্ট—তিনি শ্রীরামকৃষ্ণ পরমহংস দেব। অর্ধসমাহিত প্রেমিক পুরুষটিকে সকলে সাবধানে জাহাজে তুলে নিলেন। পশ্চিমাকাশ লাল করে সেদিনের সূর্য অস্তগামী। এই জাহাজটি কুচবিহারের রাজকুমার নৃপেন্দ্রনারায়ণ ভূপের। তিনি কেশবচন্দ্র সেনের জামাতা। ক্যালেন্ডার বলছে, তারিখ ২৭ অক্টোবর, ১৮৮২। ঘড়ি জানাচ্ছে সময় বেলা চারটে। সকলে সরবে বলছেন, সাবধান, সাবধান, খুব সাবধানে ঠাকুরকে ভেতরে নিয়ে চল। তিনি ভাবস্থ। কেশবচন্দ্র এই মানুষটির জন্য অধীর অপেক্ষায় রয়েছেন। ঝম ঝম করে শুরু হল কীর্তন। জাহাজের কল চলতে শুরু করেছে। ধীরে ধীরে দক্ষিণেশ্বরের মন্দির, পোস্তা, চাঁদনি, ঘাট পেছনে সরে যাচ্ছে। হু হু বাতাস। শরৎকাল, একি আনন্দ, জাহাজ চলেছে কলকাতার দিকে। দূরে আরও দূরে। ঊনবিংশ শতাব্দীর সেইসব চরিত্র,

ঘটনা ইতিহাস। সবই চলেছে মোহনার দিকে।

কত কথা ছিল, কত গান! কত বিবাদ, অহংকারের গদাযুদ্ধ। 'আর একবার বলুন না আপনার কালী তত্ত্ব। সেই গানটি একবার হোক না, 'কে জানে মা কালী কেমন?' মুড়ি এনেছেন, নারকোলের টুকরো। বাতাসে উড়ে যাচ্ছে মুড়ি। ভেসে যাচ্ছে সংকীর্তনের সুর। গোলাপি সন্ধ্যা।

ঠাকুরের সঙ্গে রয়েছেন বিজয়কৃষ্ণ গোস্বামী। কেশবচন্দ্রের অস্বস্তি। বিজয় তাঁকে ত্যাগ করে সাধারণ ব্রাহ্মসমাজভুক্ত হয়েছেন। কন্যার বিবাহ প্রভৃতি ব্যাপারে কেশবের বিরুদ্ধে অনেক বক্তৃতা দিয়েছেন। ঠাকুর ইচ্ছা করেই বিজয়কৃষ্ণকে এনেছেন। তিনি চান বিবাদের অবসান। প্রেম ছাড়া ধর্ম হয়!

কুচবিহারের অর্ণব পোত কলকাতা ছেড়ে শিবপুরে এল বুঝি। ঠাকুর। হঠাৎ বললেন, 'বন্ধন আর মুক্তি দুয়ের কর্তাই তিনি।' ঠাকুর গান ধরেছেন:

আমি ওই খেদে খেদ করি।

তুমি মাতা থাকতে আমার জগো ঘরে চুরি!!

'কেবল পাপ আর নরক এই সব কথা কেন? একবার বল, অন্যায় কর্ম যা করেছি আর করব না। আর তার নামে বিশ্বাস কর।'

জল কাটার উছল শব্দ। গুমরে গুমরে উঠেছে ইঞ্জিন। চুল এলোমেলো। ঠাকুর কেশবচন্দ্রের দিকে তাকিয়ে বলছেন :

'তুমি প্রকৃতি দেখে শিষ্য কর না, তাই এইরূপ ভেঙে ভেঙে যায়।'

আজ যে আবার কোজাগরী পূর্ণিমা। আকাশে রুপোর থালা। জাহাজ কয়লাঘাটে। গাড়িতে উঠলেন ঠাকুর। সামনে দাঁড়িয়ে একা কেশবচন্দ্র। ঠাকুরকে ভূমিষ্ঠ প্রণাম। চাকার শব্দ। তরল জল থেকে কঠিন রাজপথে।

———

কৃতজ্ঞতা স্বীকার

   ১. উপাধ্যায় গৌরগোবিন্দ রায়, 'আচার্য্য কেশবচন্দ্র'।
   ২. শিবনাথ শাস্ত্রী, 'আত্মচরিত', রামতনু লাহিড়ী
      ও তৎকালীন বঙ্গসমাজ।
   ৩. মহর্ষি দেবেন্দ্রনাথ ঠাকুর, 'আত্মজীবনী'।
   ৪. গায়ত্রী দেবী, 'A Princess Remembers'।
   ৫. 'শ্রীশ্রীরামকৃষ্ণকথামৃত'—শ্রীম।